교과서 GO! 사고력 GO!

GO! 매쓰

GO!

Run-B

교과서 사고력

수학 **6**-2

구성과 특징

1주차 교과 집중 학습

1 교과서 개념 완성

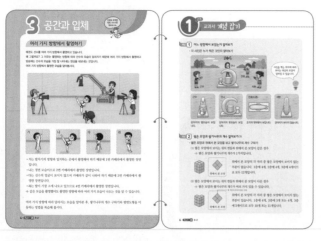

재미있는 수학 이야기로 단원에 대한 흥미를 높이고, 교과서 개념과 기본 문제를 학습합니다.

2 교과서 개념 PLAY

게임으로 개념을 학습하면서 집중력을 높여 쉽게 개념을 익히고 기본을 탄탄하게 만듭니다.

3 문제 풀이로 실력 & 자신감 UP!

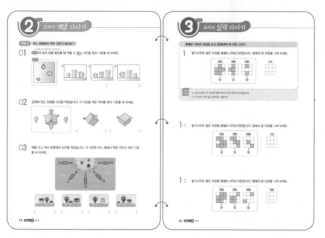

한 단계 더 나아간 교과서와 익힘 문제로 개념을 완성하고, 다양한 문제 유형으로 응용력을 키웁니다.

4 서술형 문제 풀이

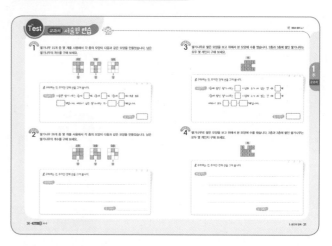

시험에 잘 나오는 서술형 문제 중심으로 단계별로 풀이하는 연습을 하여 서술하는 힘을 높여 줍니다.

2 주차 사고력 확장 학습

1 사고력 PLAY

교과 심화 문제와 사고력 문제를 게임으로 쉽게 접근하여 어려운 문제에 대한 거부감을 낮추고 집중력을 높입니다.

2 교과 사고력 잡기

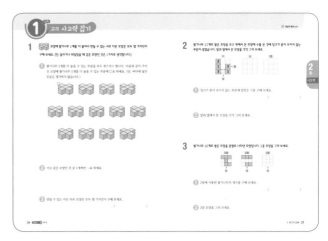

문제에 필요한 요소를 찾아 단계별로 해결하면서 문제 해결력을 키울 수 있는 힘을 기릅니다.

3 교과 사고력 확장+완성

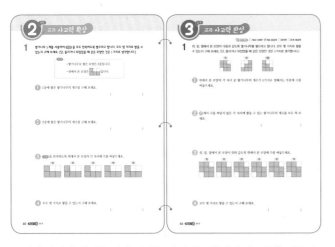

틀에서 벗어난 생각을 하여 문제를 해결하는 창의적 사고력을 기를 수 있는 힘을 기릅니다.

4 종합평가 / 특강

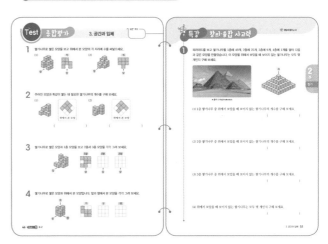

교과 학습과 사고력 학습을 얼마나 잘 이해하였는지 평가하여 배운 내용을 정리합니다.

3 공간과 입체

단원과 관련된 방향 이야기를 살펴보아요.

여러 가지 방향에서 촬영하기

태권도 선수를 여러 가지 방향에서 촬영하고 있습니다.

왜 그럴까요? 그 이유는 촬영하는 방향에 따라 선수의 모습이 달라지기 때문에 여러 가지 방향에서 촬영하고 방송에는 선수의 모습을 가장 잘 나타내는 영상을 내보내는 것입니다.

여러 가지 방향에서 촬영한 모습을 알아봅시다.

가

나

다

라

- 가는 발차기의 방향과 일치하는 곳에서 촬영해야 하기 때문에 1번 카메라에서 촬영한 장면 입니다.
- 나는 정면 모습이므로 2번 카메라에서 촬영한 장면입니다.
- 다는 선수의 얼굴이 보이지 않으며 카메라가 같이 나와야 하기 때문에 3번 카메라에서 촬영한 장면입니다.
- 라는 발이 가장 크게 나오고 있으므로 4번 카메라에서 촬영한 장면입니다.
➡ 같은 모습을 촬영했어도 촬영한 방향에 따라 여러 가지 모습이 나오는 것을 알 수 있습니다.

여러 가지 방향에 따라 달라지는 모습을 알아본 후, 쌓기나무의 개수 구하기와 평면도형을 이동하는 방법을 복습해 봅시다.

🎓 모형 성의 사진을 찍었습니다. 각 사진을 찍은 위치를 찾아 기호를 써 보세요.

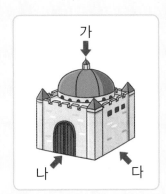

 (   )  (   )  (   )

🎓 주어진 모양과 똑같이 쌓는 데 필요한 쌓기나무의 개수를 구해 보세요.

(1)

(   )

(2)

(   )

🎓 도형을 시계 방향으로 90°만큼 돌리고 오른쪽으로 뒤집었을 때의 모양을 각각 그려 보세요.

개념 1 어느 방향에서 보았는지 알아보기

· 각 사진은 누가 찍은 것인지 알아보기

사진을 찍는 위치에 따라 보이는 대상과 모양이 달라질 수 있습니다.

근우

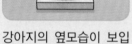

강아지의 옆모습이 보입니다.

안나

강아지의 뒷모습이 보입니다.

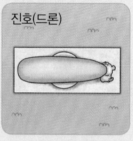

진호(드론)

조각의 윗부분이 보입니다.

지현

강아지가 보이지 않습니다.

개념 2 쌓은 모양과 쌓기나무의 개수 알아보기 (1)

· 쌓은 모양과 위에서 본 모양을 보고 쌓기나무의 개수 구하기

(1) 쌓은 모양에서 보이는 위의 면들과 위에서 본 모양이 같은 경우

➡ 쌓은 모양과 쌓기나무의 개수가 1가지입니다.

위에서 본 모양

위에서 본 모양의 각 자리 중 쌓은 모양에서 보이지 않는 부분이 없습니다. 1층에 4개, 2층에 4개, 3층에 4개이므로 모두 12개입니다.

(2) 쌓은 모양에서 보이는 위의 면들과 위에서 본 모양이 다른 경우

➡ 쌓은 모양과 쌓기나무의 개수가 여러 가지 있을 수 있습니다.

몇 개인지 보이지 않는 부분

위에서 본 모양

위에서 본 모양의 각 자리 중 쌓은 모양에서 보이지 않는 부분이 있습니다. 1층에 4개, 2층에 3개 또는 4개, 3층에 3개이므로 모두 10개 또는 11개입니다.

개념 확인 문제

1 여러 가지 방향에서 눈사람 사진을 찍었습니다. 각 사진은 어느 카메라로 찍은 것인지 찾아 기호를 써 보세요.

(   )   (   )

2-1 쌓기나무로 쌓은 모양을 보고 위에서 본 모양을 그렸습니다. 관계있는 것끼리 선으로 이어 보세요.

2-2 주어진 모양과 똑같이 쌓는 데 필요한 쌓기나무의 개수를 구해 보세요.

(1)

위에서 본 모양

(   )

(2)

위에서 본 모양

(   )

개념 **3** 쌓은 모양과 쌓기나무의 개수 알아보기(2)

> 3단원에서 옆 모양은 오른쪽 옆에서 본 모양으로 합니다.

· 쌓기나무로 쌓은 모양을 보고, 위, 앞, 옆에서 본 모양 그리기

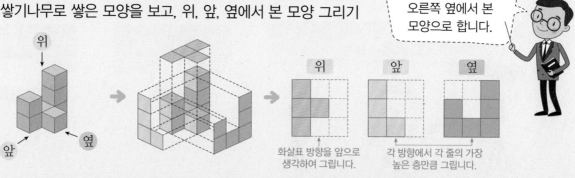

화살표 방향을 앞으로 생각하여 그립니다.

각 방향에서 각 줄의 가장 높은 층만큼 그립니다.

· 쌓은 모양을 위에서 본 모양은 1층의 모양과 같습니다.

· 쌓은 모양을 앞과 옆에서 본 모양은 각 방향에서 각 줄의 가장 높은 층의 모양과 같습니다.

· 위, 앞, 옆에서 본 모양을 보고, 쌓은 모양 알아보고 쌓기나무의 개수 구하기

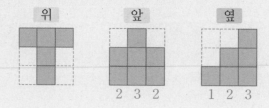

① 위에서 본 모양을 보고 1층 쌓기

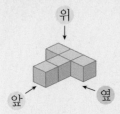

② 앞에서 본 모양은 왼쪽에서부터 2층, 3층, 2층

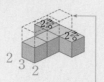

셋 중 어느 곳이 3층인지 알 수 없습니다.

③ 옆에서 본 모양은 왼쪽에서부터 1층, 2층, 3층

④ 완성된 모양
➡ 1가지

(10개)

주의

· 위, 앞, 옆에서 본 모양이 같더라도 쌓은 모양은 다를 수 있습니다.

   ➡

(6개)　　(7개)　　(8개)

개념 확인 문제

3-1 쌓기나무로 쌓은 모양과 위에서 본 모양입니다. 앞에서 본 모양을 그려 보세요.

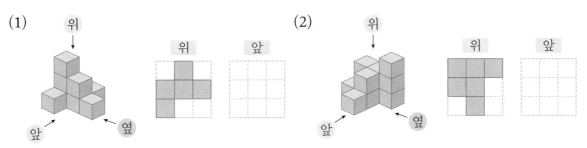

(1)

(2)

3-2 쌓기나무로 쌓은 모양과 위에서 본 모양입니다. 옆에서 본 모양을 그려 보세요.

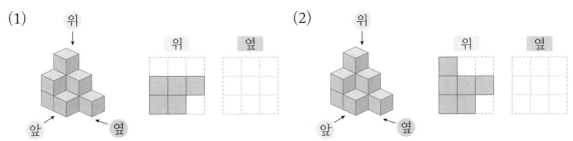

(1)

(2)

3-3 쌓기나무로 쌓은 모양을 위, 앞, 옆에서 본 모양입니다. 물음에 답하세요.

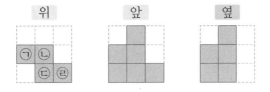

(1) 앞에서 본 모양을 보면 ㉠ 부분과 ㉣ 부분은 쌓기나무가 각각 ☐ 개, ☐ 개입니다.

옆에서 본 모양을 보면 ㉡ 부분과 ㉢ 부분은 쌓기나무가 각각 ☐ 개, ☐ 개입니다.

(2) 쌓은 모양으로 알맞은 것에 ○표 하고, 필요한 쌓기나무의 개수를 구해 보세요.

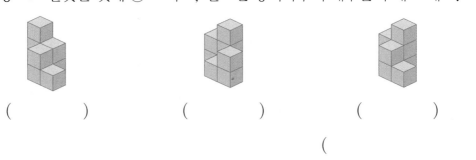

(   )   (   )   (   )

(   )

개념 **4** **쌓은 모양과 쌓기나무의 개수 알아보기(3)**

• 쌓기나무로 쌓은 모양을 위에서 본 모양에 수를 쓰는 방법으로 나타내기

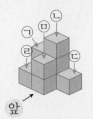 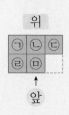

위에서 본 모양의 각 자리에 쌓기나무가 각각 몇 개씩 쌓여 있는지 알아보면 ㉠ 2개, ㉡ 3개, ㉢ 1개, ㉣ 1개, ㉤ 2개입니다.

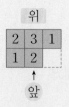

위에서 본 모양의 각 자리에 쌓은 쌓기나무의 개수를 쓰면 왼쪽과 같습니다. 따라서 똑같은 모양으로 쌓는 데 필요한 쌓기나무는 $2+3+1+1+2=9$(개)입니다.

각 자리에 쌓은 쌓기나무의 개수를 모두 더하면 ← 필요한 쌓기나무의 개수를 구할 수 있습니다.

주의

• 위에서 본 모양에 수를 쓸 때에는 모든 칸에 알맞은 수를 써야 합니다.

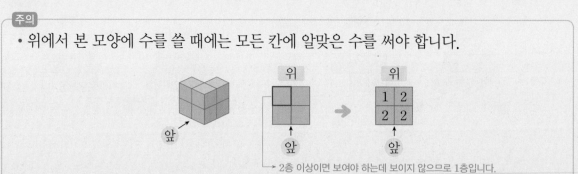

→ 2층 이상이면 보여야 하는데 보이지 않으므로 1층입니다.

• 위에서 본 모양에 수를 쓴 것을 보고 앞과 옆에서 본 모양 그리기

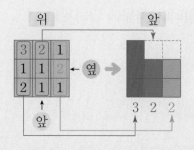 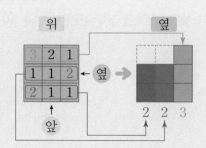

• 위에서 본 모양에 수를 쓴 것을 보고 쌓은 모양 만들기

① 위에서 본 모양에 맞게 1층 쌓기

② 개수에 맞게 쌓기나무 쌓기

참고

위에서 본 모양에 수를 쓴 것을 보고 만든 쌓기나무의 모양은 한 가지만 나옵니다.

개념 확인 문제

4-1 쌓기나무로 쌓은 모양을 보고 위에서 본 모양의 각 자리에 수를 써넣으세요.

(1)

(2)

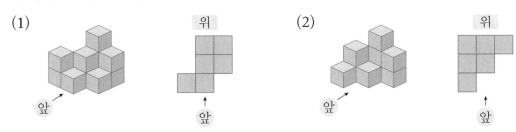

4-2 쌓기나무로 쌓은 모양을 보고 위에서 본 모양에 수를 썼습니다. 똑같은 모양으로 쌓는 데 필요한 쌓기나무의 개수를 구해 보세요.

(1) 위

	3	
2	1	
2	1	3

(   )

(2) 위

2	1	3
	1	
3	1	2

(   )

4-3 쌓기나무로 쌓은 모양을 보고 위에서 본 모양에 수를 썼습니다. 앞에서 본 모양을 그려 보세요.

(1) 위   앞

(2) 위   앞

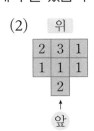

4-4 쌓기나무로 쌓은 모양을 보고 위에서 본 모양에 수를 썼습니다. 옆에서 본 모양을 그려 보세요.

(1) 위   옆

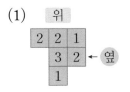

(2) 위   옆

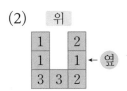

개념 5 쌓은 모양과 쌓기나무의 개수 알아보기(4)

• 쌓기나무로 쌓은 모양을 층별로 나타낸 모양으로 표현하기

→ 각 층별로 색칠된 칸 수는 그 층에 있는 쌓기나무의 개수와 같습니다.

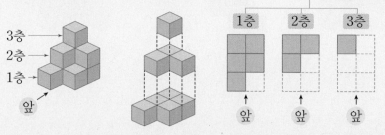

```
1층을 기준으로 하여 같은 위치에 쌓인 쌓기나무는 같은 자리에 그려야 합니다.
```

• 층별로 나타낸 모양을 위에서 본 모양에 수를 쓰는 방법으로 나타내기

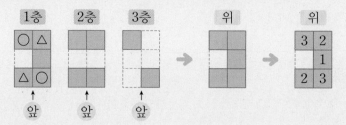

1층의 ◯ 부분은 쌓기나무가 3층까지 있고, △ 부분은 쌓기나무가 2층까지 있습니다.
나머지 부분은 1층만 있습니다.

개념 6 여러 가지 모양 만들기

• 쌓기나무 4개로 만들 수 있는 서로 다른 모양 찾기

방법 쌓기나무 3개로 만들 수 있는 모양에 쌓기나무를 1개 더 붙여서 만들어 봅니다.

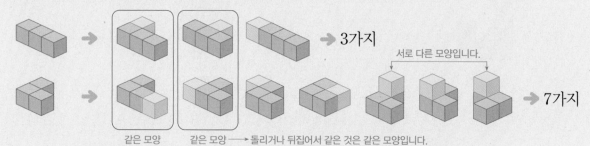

→ 3가지

서로 다른 모양입니다.

→ 7가지

같은 모양   같은 모양 → 돌리거나 뒤집어서 같은 것은 같은 모양입니다.

쌓기나무 4개로 만들 수 있는 서로 다른 모양은 3+7-2=8(가지)입니다.

• 쌓기나무 4개를 붙여서 만든 두 가지 모양을 사용하여 여러 가지 모양 만들기

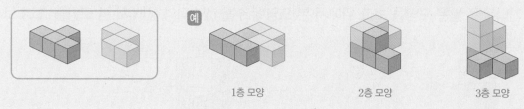

예

1층 모양   2층 모양   3층 모양

개념 확인 문제

5-1 쌓기나무로 쌓은 모양과 1층 모양을 보고 2층과 3층 모양을 각각 그려 보세요.

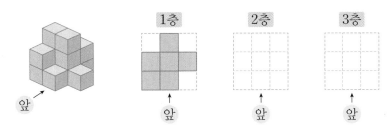

5-2 쌓기나무로 쌓은 모양을 층별로 나타낸 모양입니다. 위에서 본 모양을 그리고, 각 자리에 쌓인 쌓기나무의 개수를 써넣으세요.

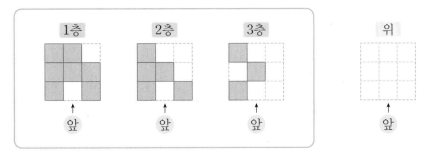

6-1  모양에 쌓기나무 1개를 붙여서 만들 수 <u>없는</u> 모양을 찾아 기호를 써 보세요.

( )

6-2 쌓기나무를 각각 4개씩 붙여서 만든 두 가지 모양을 사용하여 새로운 모양을 만들었습니다. 어떻게 만들었는지 구분하여 색칠해 보세요.

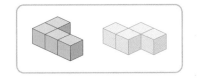 

준비물 붙임딱지

포장지에 있는 쌓기나무를 위, 앞, 옆에서 본 모양이 있는 밥, 김, 햄 붙임딱지를 붙여 보세요.
(쌓기나무 아래에 있는 개수는 그 모양을 쌓는 데 사용한 쌓기나무의 개수입니다.)

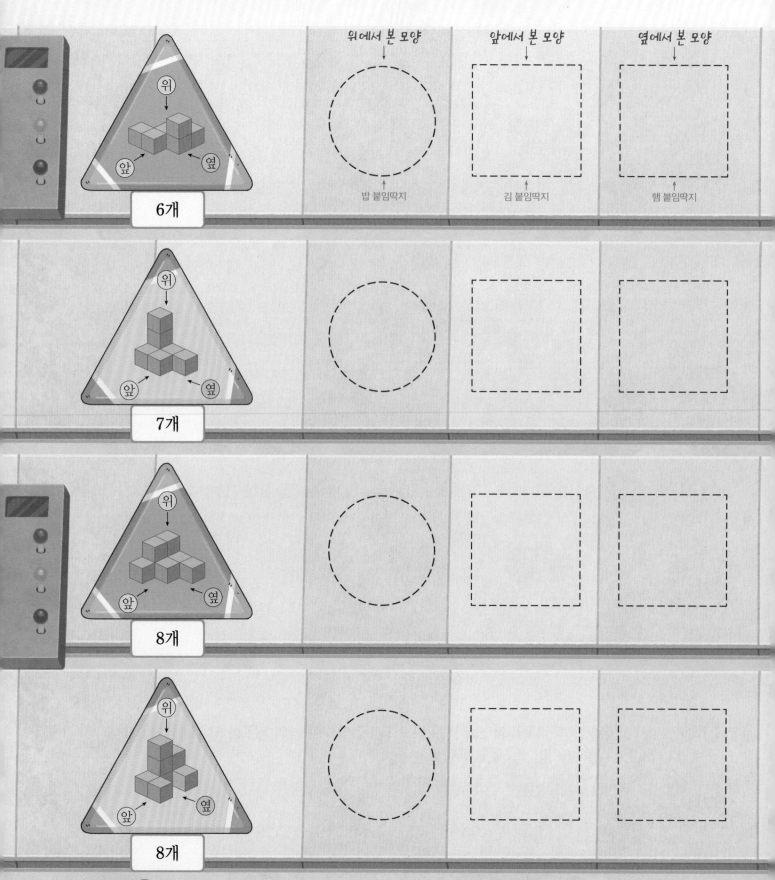

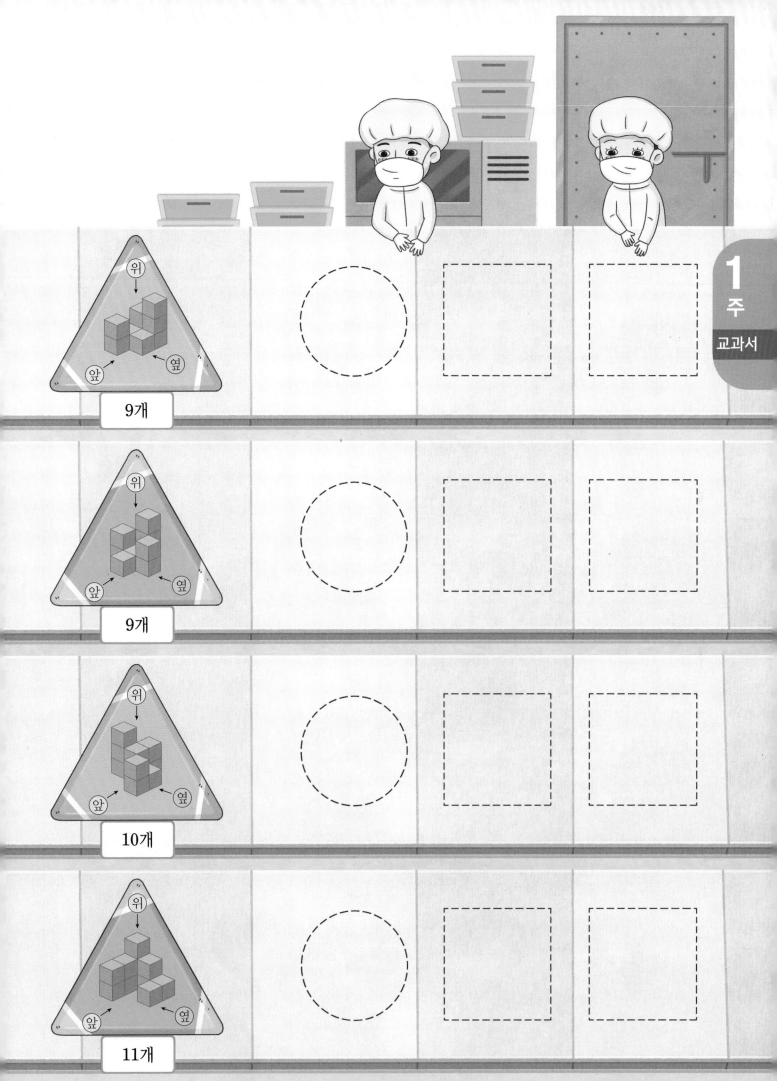

9개

9개

10개

11개

교과서 개념 스토리 　物통 채우기

준비물 붙임딱지

정수기에 있는 위에서 본 모양에 수를 쓴 것을 보고 알맞은 쌓기나무 모양이 있는 물통 붙임딱지를 붙여 보세요.

개념 1 어느 방향에서 찍은 것인지 알아보기

01

→ 컵을 놓고 위에서 본 모습입니다.

보기와 같이 컵을 놓았을 때 찍을 수 <u>없는</u> 사진을 찾아 기호를 써 보세요.

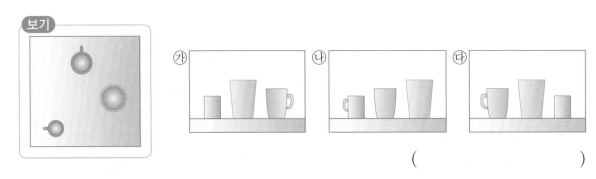

( )

02 공원에 있는 조형물 사진을 찍었습니다. 각 사진을 찍은 위치를 찾아 기호를 써 보세요.

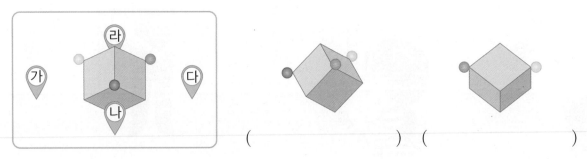

( ) ( )

03 배를 타고 여러 방향에서 사진을 찍었습니다. 각 사진은 어느 배에서 찍은 것인지 찾아 기호를 써 보세요.

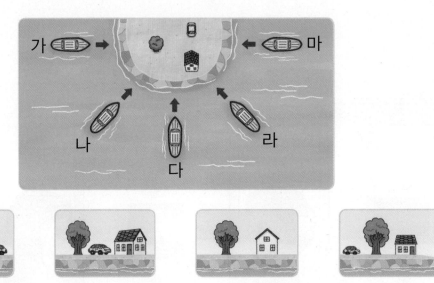

( ) ( ) ( ) ( )

개념 2 쌓은 모양과 쌓기나무의 개수 알아보기(1)

04 쌓기나무를 보기 와 같은 모양으로 쌓았습니다. 돌렸을 때 보기 와 같은 모양을 만들 수 <u>없는</u>
    것을 찾아 기호를 써 보세요.

보기

가
나
다

(   )

05 다음과 같이 쌓기나무를 쌓으면 쌓은 쌓기나무의 개수를 정확하게 알 수 없습니다. 그 이유
    를 써 보세요.

이유 _____

_____

06 주어진 모양과 똑같이 쌓는 데 필요한 쌓기나무의 개수를 구해 보세요.

(1)
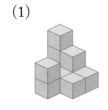

위에서 본 모양

(   )

(2)
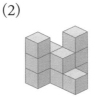

위에서 본 모양

(   )

개념 3 쌓은 모양과 쌓기나무의 개수 알아보기(2)

07 쌓기나무로 쌓은 모양과 위에서 본 모양입니다. 앞과 옆에서 본 모양을 각각 그려 보세요.

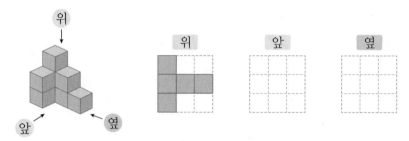

08 쌓기나무로 쌓은 모양을 위, 앞, 옆에서 본 모양입니다. 똑같은 모양으로 쌓는 데 필요한 쌓기나무의 개수를 구해 보세요.

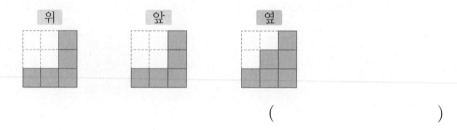

(   )

09 쌓기나무로 쌓은 모양을 위, 앞, 옆에서 본 모양입니다. 쌓은 모양으로 가능한 모양을 찾아 기호를 써 보세요.

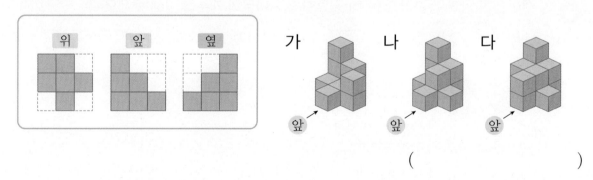

(   )

개념 4 쌓은 모양과 쌓기나무의 개수 알아보기 (3)

10 쌓기나무로 쌓은 모양을 보고 위에서 본 모양의 각 자리에 수를 써넣으세요.

(1) 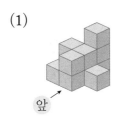 위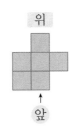

앞 → ↑ 앞

(2) 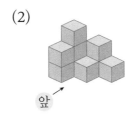 위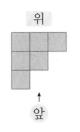

앞 → ↑ 앞

11 쌓기나무를 쌓은 모양을 보고 위에서 본 모양에 수를 썼습니다. 앞과 옆에서 본 모양을 각각 그려 보세요.

위 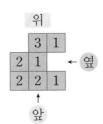 ← 옆

앞 앞

옆

12 쌓기나무로 쌓은 모양을 보고 위에서 본 모양에 수를 썼습니다. 관계있는 것끼리 선으로 이어 보세요.

·

·

·

·

·

| 2 | 3 | 1 |
| 1 | 2 | 1 |

·

| 3 | 2 | 1 |
| 1 | 2 | 1 |

·

| 2 | 3 | 1 |
| 1 | 1 | 2 |

| 3 | 2 | 1 |
| 1 | 1 | 2 |

개념 5 쌓은 모양과 쌓기나무의 개수 알아보기 (4)

13 쌓기나무로 쌓은 모양과 1층 모양을 보고 2층과 3층 모양을 각각 그려 보세요.

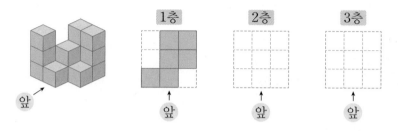

14 쌓기나무로 쌓은 모양을 층별로 나타낸 모양을 보고 쌓은 모양을 찾아 기호를 써 보세요.

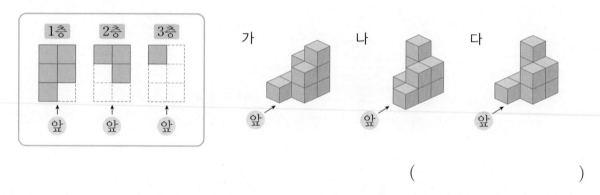

( )

15 쌓기나무로 쌓은 모양을 층별로 나타낸 모양입니다. 위에서 본 모양을 그리고, 각 자리에 쌓인 쌓기나무의 개수를 써넣으세요.

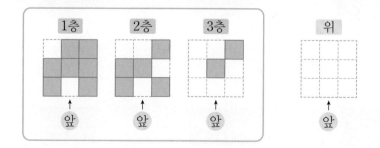

개념 6 여러 가지 모양 만들기

16 모양에 쌓기나무 1개를 더 붙여서 만들 수 <u>없는</u> 모양을 찾아 기호를 써 보세요.

가   나   다   라

(   )

1
주
교과서

17 모양에 쌓기나무 1개를 더 붙여서 만들 수 있는 서로 다른 모양은 모두 몇 가지인

지 구해 보세요. (단, 돌리거나 뒤집어서 같은 모양인 것은 1가지로 생각합니다.)

(   )

18 쌓기나무를 각각 4개씩 붙여서 만든 두 가지 모양을 사용하여 새로운 모양을 만들었습니다.
사용한 두 가지 모양을 보기 에서 찾아 기호를 써 보세요.

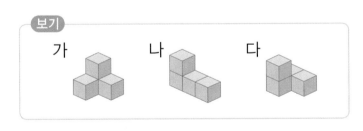

(   )

19 쌓기나무를 각각 4개씩 붙여서 만든 두 가지 모양을 사용하여 새로운 모양을 만들었습니다.
어떻게 만들었는지 구분하여 색칠해 보세요.

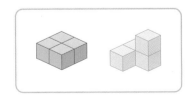

⭐ 층별로 나타낸 모양을 보고 앞(옆)에서 본 모양 그리기

1 쌓기나무로 쌓은 모양을 층별로 나타낸 모양입니다. 앞에서 본 모양을 그려 보세요.

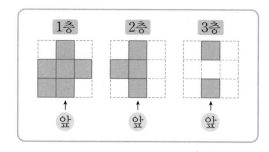

> **개념 피드백**
> ① 1층 모양의 각 자리에 쌓인 쌓기나무의 개수를 알아봅니다.
> ② 각 줄의 가장 높은 층만큼 그립니다.

1-1 쌓기나무로 쌓은 모양을 층별로 나타낸 모양입니다. 앞에서 본 모양을 그려 보세요.

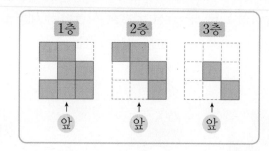 

1-2 쌓기나무로 쌓은 모양을 층별로 나타낸 모양입니다. 옆에서 본 모양을 그려 보세요.

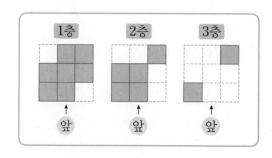

★ 앞(옆)에서 볼 때 보이지 않는 쌓기나무의 개수 구하기

2 쌓기나무로 쌓은 모양을 보고 위에서 본 모양에 수를 썼습니다. 앞에서 볼 때 보이지 않는 쌓기나무의 개수를 구해 보세요.

위

3	2	
2	1	3
2	1	1

↑
앞

답 _____

개념 피드백
① 전체 쌓기나무의 개수를 구합니다.
② 앞에서 볼 때 보이는 쌓기나무의 개수를 구합니다.
③ ①과 ②의 차를 구합니다.

2-1 쌓기나무로 쌓은 모양을 보고 위에서 본 모양에 수를 썼습니다. 앞에서 볼 때 보이지 않는 쌓기나무의 개수를 구해 보세요.

위

1	3	3
1	2	3
	2	2

↑
앞

(   )

2-2 쌓기나무로 쌓은 모양을 보고 위에서 본 모양에 수를 썼습니다. 옆에서 볼 때 보이지 않는 쌓기나무의 개수를 구해 보세요.

위

2	3	1
3	2	2	← 옆
	3	2

(   )

★ 사용한 쌓기나무의 개수 구하기

3 주어진 모양과 똑같이 쌓는 데 최대한 많은 쌓기나무를 사용했습니다. 사용한 쌓기나무의 개수를 구해 보세요.

위에서 본 모양

답 _____

개념
피드백
① 위에서 본 모양의 각 자리 중 쌓은 모양에서 보이지 않는 부분에는 쌓기나무가 몇 개까지 놓일 수 있는지 알아봅니다.
② 각 자리에 쌓인 쌓기나무의 개수를 모두 더합니다.

3-1 주어진 모양과 똑같이 쌓는 데 최대한 많은 쌓기나무를 사용했습니다. 사용한 쌓기나무의 개수를 구해 보세요.

위에서 본 모양

(   )

3-2 주어진 모양과 똑같이 쌓는 데 최대한 많은 쌓기나무를 사용했습니다. 사용한 쌓기나무의 개수를 구해 보세요.

위에서 본 모양

(   )

1
주

교과서

★ 가장 작은 직육면체 모양 만들기

4 다음 모양에 쌓기나무를 더 쌓아 가장 작은 직육면체 모양을 만들려고 합니다. 쌓기나무는 몇 개 더 필요한지 구해 보세요.

위에서 본 모양

답 _____

개념
피드백 ① 가장 작은 직육면체가 되려면 쌓기나무가 몇 개 있어야 되는지 알아봅니다.
② 쌓은 쌓기나무의 개수를 구합니다.
③ ①－②를 계산합니다.

4-1 다음 모양에 쌓기나무를 더 쌓아 가장 작은 직육면체 모양을 만들려고 합니다. 쌓기나무는 몇 개 더 필요한지 구해 보세요.

위에서 본 모양

(   )

4-2 다음 모양에 쌓기나무를 더 쌓아 가장 작은 직육면체 모양을 만들려고 합니다. 쌓기나무는 몇 개 더 필요한지 구해 보세요.

위에서 본 모양

(   )

★ 빼낸 쌓기나무의 개수 구하기

5 왼쪽과 같은 정육면체 모양에서 쌓기나무 몇 개를 빼내었더니 오른쪽과 같은 모양이 되었습니다. 빼낸 쌓기나무의 개수를 구해 보세요.

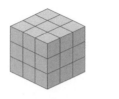

답 _____

개념
피드백
① 처음 쌓기나무의 개수를 구합니다.
② 남은 쌓기나무의 개수를 구합니다.
③ ①−②를 계산합니다.

5-1 왼쪽과 같은 정육면체 모양에서 쌓기나무 몇 개를 빼내었더니 오른쪽과 같은 모양이 되었습니다. 빼낸 쌓기나무의 개수를 구해 보세요.

(   )

5-2 왼쪽과 같은 정육면체 모양에서 쌓기나무 몇 개를 빼내었더니 오른쪽과 같은 모양이 되었습니다. 빼낸 쌓기나무의 개수를 구해 보세요.

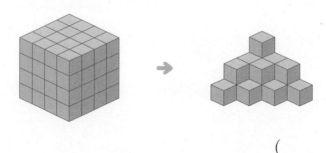

(   )

★ **필요한 쌓기나무의 개수가 가장 많을 때와 가장 적을 때**

6 쌓기나무로 쌓은 모양을 위, 앞, 옆에서 본 모양입니다. 쌓기나무를 가장 많이 사용했을 때와 가장 적게 사용했을 때의 쌓기나무의 개수의 차를 구해 보세요.

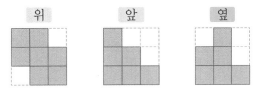

답 _____

 개념 피드백

① 위에서 본 모양의 각 자리에 가장 많이 쌓을 수 있는 경우를 알아봅니다.
② 위에서 본 모양의 각 자리에 가장 적게 쌓을 수 있는 경우를 알아봅니다.
③ ①－②를 계산합니다.

6-1 쌓기나무로 쌓은 모양을 위, 앞, 옆에서 본 모양입니다. 쌓기나무를 가장 많이 사용했을 때와 가장 적게 사용했을 때의 쌓기나무의 개수의 차를 구해 보세요.

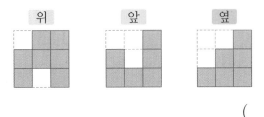

(   )

6-2 쌓기나무로 쌓은 모양을 위, 앞, 옆에서 본 모양입니다. 쌓기나무를 가장 많이 사용했을 때와 가장 적게 사용했을 때의 쌓기나무의 개수의 차를 구해 보세요.

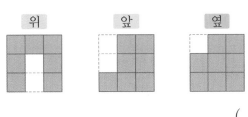

(   )

 1 쌓기나무 15개 중 몇 개를 사용해서 각 층의 모양이 다음과 같은 모양을 만들었습니다. 남은 쌓기나무의 개수를 구해 보세요.

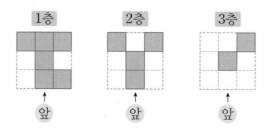

✏️ 구하려는 것, 주어진 것에 선을 그어 봅니다.

해결하기   사용한 쌓기나무는 1층에 ☐ 개, 2층에 ☐ 개, 3층에 ☐ 개이므로 모두

☐ 개입니다. 따라서 남은 쌓기나무는 15 - ☐ = ☐ (개)입니다.

답 구하기 ☐

2 쌓기나무 20개 중 몇 개를 사용해서 각 층의 모양이 다음과 같은 모양을 만들었습니다. 남은 쌓기나무의 개수를 구해 보세요.

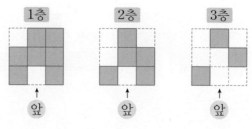

✏️ 구하려는 것, 주어진 것에 선을 그어 봅니다.

해결하기

답 구하기

3 쌓기나무로 쌓은 모양을 보고 위에서 본 모양에 수를 썼습니다. <u>2층과 3층에 쌓인 쌓기나무는 모두 몇 개인지 구해 보세요.</u>

위

	3	1	2
2	2	3	
1	3	1	3

✎ 구하려는 것, 주어진 것에 선을 그어 봅니다.

해결하기 2층에 쌓인 쌓기나무는 ☐ 이상의 수가 써 있는 칸 ➡ ☐ 개

3층에 쌓인 쌓기나무는 ☐ 이상의 수가 써 있는 칸 ➡ ☐ 개

따라서 모두 ☐ + ☐ = ☐ 개입니다.

답 구하기 ☐

4 쌓기나무로 쌓은 모양을 보고 위에서 본 모양에 수를 썼습니다. 2층과 3층에 쌓인 쌓기나무는 모두 몇 개인지 구해 보세요.

위

3		2	1
2	3	3	
3	1	2	3

✎ 구하려는 것, 주어진 것에 선을 그어 봅니다.

해결하기

답 구하기

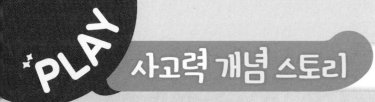

사고력 개념 스토리 상자 안에 쌓기나무 넣기

준비물 ◀ 붙임딱지

마법의 성 안에 쌓기나무가 살아 움직이고 있습니다. 마법사가 쌓기나무를 모두 상자 안에 넣어 달라고
부탁했습니다. 쌓기나무를 넣을 수 있는 상자 붙임딱지를 1개씩만 붙여 보세요.
(단, 각 쌓기나무 모양에서 보이지 않는 부분에 쌓기나무는 없습니다.)

사고력 개념 스토리　도적 잡기

준비물 붙임딱지

도적을 잡으려면 쌓기나무 붙임딱지를 도적의 보따리에 붙여야 합니다.
도적의 보따리에 있는 그림을 보고 쌓은 모양으로 가능한 쌓기나무 붙임딱지를 붙여 보세요.
(단, 쌓기나무 붙임딱지의 보이지 않는 부분에 쌓기나무는 없습니다.)

1 모양에 쌓기나무 1개를 더 붙여서 만들 수 있는 서로 다른 모양은 모두 몇 가지인지 구해 보세요. (단, 돌리거나 뒤집었을 때 같은 모양인 것은 1가지로 생각합니다.)

① 쌓기나무 1개를 더 놓을 수 있는 부분을 모두 찾으려고 합니다. 다음과 같이 주어진 모양에 쌓기나무 1개를 더 놓을 수 있는 부분에 ○표 하세요. (단, 바닥에 닿은 부분은 생각하지 않습니다.)

② 서로 같은 모양인 것 중 1개씩만 ∨표 하세요.

③ 만들 수 있는 서로 다른 모양은 모두 몇 가지인지 구해 보세요.

(   )

2 쌓기나무 12개로 쌓은 모양을 보고 위에서 본 모양에 수를 쓴 것에 잉크가 묻어 보이지 않는 부분이 생겼습니다. 앞과 옆에서 본 모양을 각각 그려 보세요.

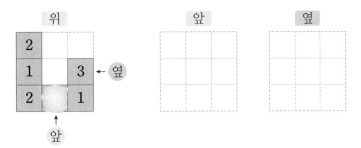

1 잉크가 묻어 보이지 않는 부분에 알맞은 수를 구해 보세요.

(   )

2 앞과 옆에서 본 모양을 각각 그려 보세요.

3 쌓기나무 16개로 쌓은 모양을 층별로 나타낸 모양입니다. 3층 모양을 그려 보세요.

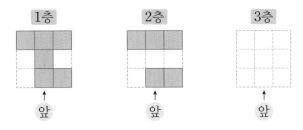

1 3층에 사용된 쌓기나무의 개수를 구해 보세요.

(   )

2 3층 모양을 그려 보세요.

4 쌓기나무를 붙여서 만든 모양을 구멍이 있는 상자에 넣으려고 합니다. 각 모양을 넣을 수 있는 상자를 모두 찾아 선으로 이어 보세요.

 ·

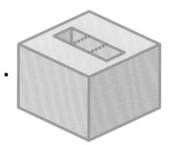

 ·

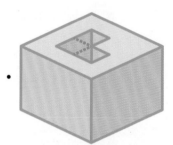

 ·

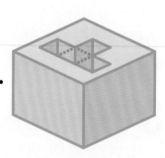

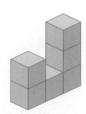 ·

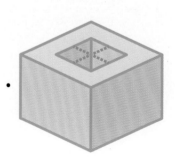

 ·

5 쌓기나무 15개로 쌓은 모양에서 빗금을 친 쌓기나무 3개를 빼낸 모양을 위, 앞, 옆에서 본 모양을 각각 그려 보세요.

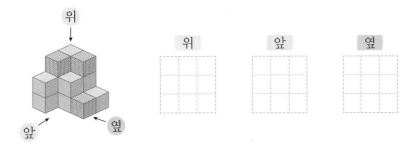

위	앞	옆

❶ 빗금을 친 쌓기나무 3개를 빼낸 모양으로 알맞은 것을 찾아 ○표 하세요.

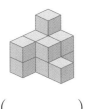   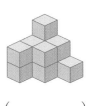

(   )   (   )   (   )

❷ 빗금을 친 쌓기나무 3개를 빼낸 모양을 위, 앞, 옆에서 본 모양을 각각 그려 보세요.

6 쌓기블록 15개로 쌓은 모양에서 위, 앞, 옆에서 본 모양이 변하지 않도록 쌓기블록을 빼내려고 합니다. 쌓기블록을 몇 개까지 빼낼 수 있는지 구해 보세요.

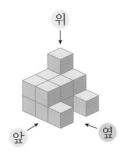

❶ 쌓기블록 모양을 위, 앞, 옆에서 본 모양을 각각 그려 보세요.

위	앞	옆

❷ 쌓기블록을 몇 개까지 빼낼 수 있는지 구해 보세요.

(   )

1 쌓기나무 5개를 사용하여 조건을 모두 만족하도록 쌓으려고 합니다. 모두 몇 가지로 쌓을 수 있는지 구해 보세요. (단, 돌리거나 뒤집었을 때 같은 모양인 것은 1가지로 생각합니다.)

조건
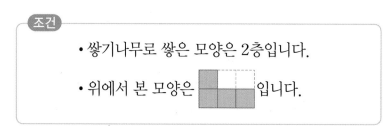
• 쌓기나무로 쌓은 모양은 2층입니다.
• 위에서 본 모양은 ▨▨▨ 입니다.

1 1층에 쌓은 쌓기나무의 개수를 구해 보세요.

( )

2 2층에 쌓은 쌓기나무의 개수를 구해 보세요.

( )

3 조건을 만족하도록 위에서 본 모양의 각 자리에 수를 써넣으세요.

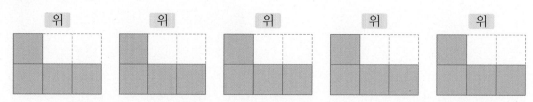

4 모두 몇 가지로 쌓을 수 있는지 구해 보세요.

( )

2 쌓기나무로 쌓은 모양을 보고 위에서 본 모양에 수를 썼습니다. 다음과 같은 규칙으로 쌓기나무를 쌓는다면 다섯 번째에 올 모양을 만들 때 필요한 쌓기나무는 몇 개인지 구해 보세요.

❶
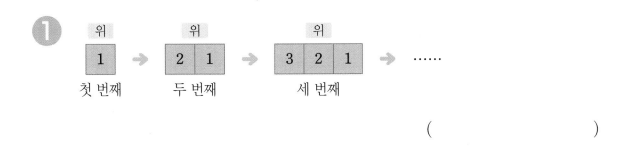

( )

❷
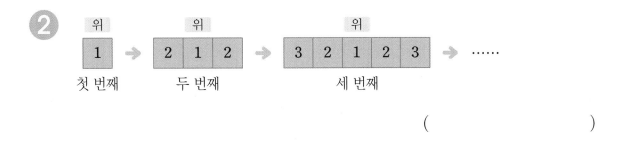

( )

❸

위
| 5 |
첫 번째

→

위
| 4 | 5 |
| | 4 |
두 번째

→

위
3	4	5
		4
		3
세 번째

→ ……

( )

3 쌓기나무로 쌓은 모양을 보고 위에서 본 모양에 수를 썼습니다. 각 모양들은 어느 방향에서 본 것인지 ( ) 안에 알맞은 기호를 써넣으세요.

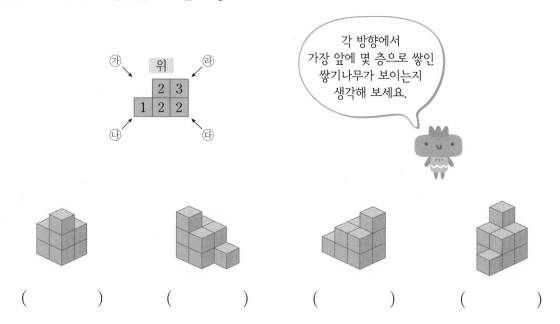

각 방향에서 가장 앞에 몇 층으로 쌓인 쌓기나무가 보이는지 생각해 보세요.

( ) ( ) ( ) ( )

4 보기 와 같은 방법으로 위에서 본 모양에 수를 쓴 것을 보고 쌓기나무 모양을 그리려고 합니다. ㉠ 방향에서 본 모양을 그려 보세요.

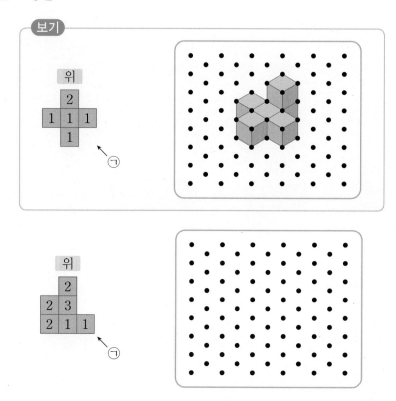

5 쌓기나무로 쌓은 모양의 바깥쪽 면을 페인트로 모두 칠했습니다. 사용한 페인트의 양은 몇 mL인지 구해 보세요. (단, 바닥에 닿은 면도 칠한 것으로 생각합니다.)

쌓기나무를 직육면체 모양으로 쌓았어.

강호

쌓기나무의 한 면을 칠하는 데 페인트 5 mL를 사용했어.

서희

① 표를 완성해 보세요.

한 면만 칠해진 쌓기나무의 개수	
두 면이 칠해진 쌓기나무의 개수	
세 면이 칠해진 쌓기나무의 개수	

② 페인트가 칠해진 면은 모두 몇 개인지 구해 보세요.

( )

③ 사용한 페인트의 양은 몇 mL인지 구해 보세요.

( )

평가 영역 ☐개념 이해력 ☑개념 응용력 ☐창의력 ☐문제 해결력

1 위, 앞, 옆에서 본 모양이 다음과 같도록 쌓기나무를 쌓으려고 합니다. 모두 몇 가지로 쌓을 수 있는지 구해 보세요. (단, 돌리거나 뒤집었을 때 같은 모양인 것은 1가지로 생각합니다.)

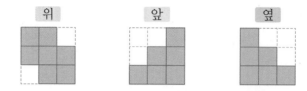

❶ 위에서 본 모양의 각 자리 중 쌓기나무의 개수가 1가지로 정해지는 부분에 수를 써넣으세요.

❷ ❶에서 수를 써넣지 않은 각 자리에 쌓을 수 있는 쌓기나무의 개수를 모두 써 보세요.

(   )

❸ 위, 앞, 옆에서 본 모양이 위와 같도록 위에서 본 모양에 수를 써넣으세요.

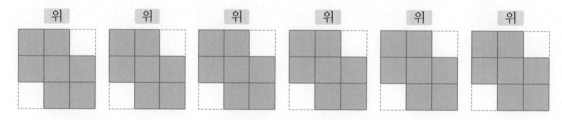

❹ 모두 몇 가지로 쌓을 수 있는지 구해 보세요.

(   )

2
주
사고력

평가 영역 □개념 이해력 □개념 응용력 □창의력 ☑문제 해결력

2 다음과 같은 규칙으로 한 모서리의 길이가 3 cm인 정육면체 모양의 쌓기나무를 쌓고 있습니다. 쌓기나무를 5층까지 쌓았을 때 위에서 본 모양의 넓이와 앞에서 본 모양의 넓이를 각각 구해 보세요. (단, 각 층은 쌓기나무를 가장 적게 사용했습니다.)

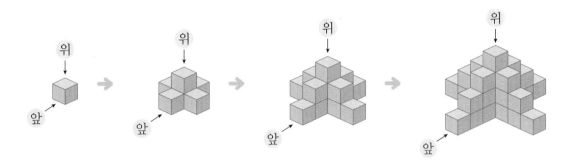

① 쌓기나무를 5층까지 쌓은 모양을 위에서 본 모양을 그리고, 각 자리에 쌓인 쌓기나무의 개수를 써넣으세요.

위

② 쌓기나무 1개의 한 면의 넓이는 몇 cm²인지 구해 보세요.

(   )

③ 쌓기나무를 5층까지 쌓았을 때 위에서 본 모양의 넓이는 몇 cm²인지 구해 보세요.

(   )

④ 쌓기나무를 5층까지 쌓았을 때 앞에서 본 모양의 넓이는 몇 cm²인지 구해 보세요.

(   )

1 쌓기나무로 쌓은 모양을 보고 위에서 본 모양의 각 자리에 수를 써넣으세요.

(1)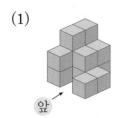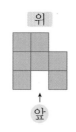

(2)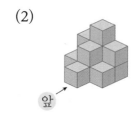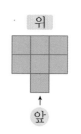

2 주어진 모양과 똑같이 쌓는 데 필요한 쌓기나무의 개수를 구해 보세요.

(1)

위에서 본 모양

( )

(2)

위에서 본 모양

( )

3 쌓기나무로 쌓은 모양과 1층 모양을 보고 2층과 3층 모양을 각각 그려 보세요.

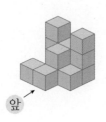 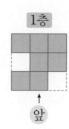 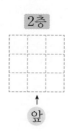 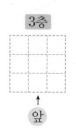

4 쌓기나무로 쌓은 모양과 위에서 본 모양입니다. 앞과 옆에서 본 모양을 각각 그려 보세요.

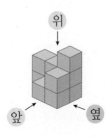 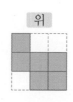

5 쌓기나무로 1층 위에 2층과 3층을 쌓으려고 합니다. 1층 모양을 보고 2층과 3층 모양으로 알맞은 것을 보기 에서 찾아 기호를 써 보세요.

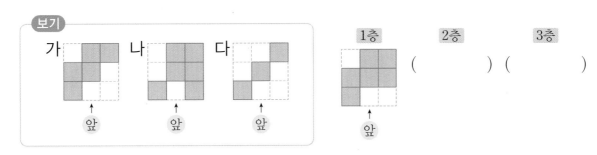

6 쌓기나무 5개로 만든 모양입니다. 서로 같은 모양끼리 선으로 이어 보세요.

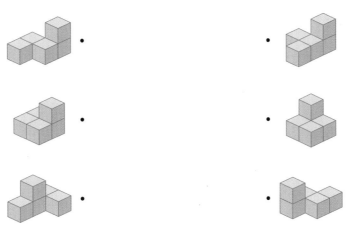

7 쌓기나무를 각각 4개씩 붙여서 만든 보기 의 모양을 사용하여 만들 수 <u>없는</u> 것을 찾아 기호를 써 보세요.

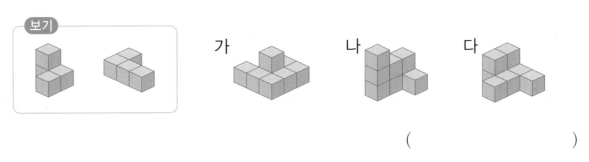

(   )

8 쌓기나무로 쌓은 모양을 층별로 나타낸 모양입니다. 앞과 옆에서 본 모양을 각각 그려 보세요.

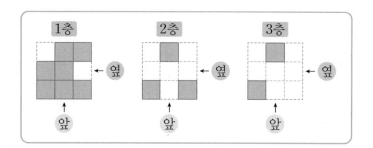

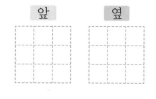

9 쌓기나무로 쌓은 모양을 보고 위에서 본 모양에 수를 썼습니다. 앞에서 볼 때 보이지 않는 쌓기나무의 개수를 구해 보세요.

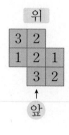

(   )

10 다음 모양에 쌓기나무를 더 쌓아 가장 작은 직육면체 모양을 만들려고 합니다. 쌓기나무는 몇 개 더 필요한지 구해 보세요.

위에서 본 모양

(   )

11 왼쪽과 같은 정육면체 모양에서 쌓기나무를 몇 개 빼내었더니 오른쪽과 같은 모양이 되었습니다. 빼낸 쌓기나무의 개수를 구해 보세요.

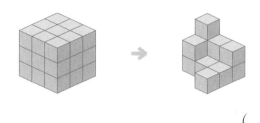

( )

12 한 모서리의 길이가 2 cm인 정육면체 모양의 쌓기나무 12개로 쌓은 모양의 바깥쪽 면에 모두 색칠했다면 색칠한 부분의 넓이는 몇 cm²인지 구해 보세요. (단, 바닥에 닿은 면도 색칠한 것으로 생각합니다.)

( )

13 쌓기나무로 쌓은 모양을 위, 앞, 옆에서 본 모양입니다. 쌓기나무를 가장 많이 사용했을 때와 가장 적게 사용했을 때의 쌓기나무의 개수의 차를 구해 보세요.

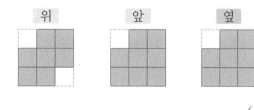

( )

14 쌓기나무로 쌓은 모양을 보고 위에서 본 모양에 수를 썼습니다. 다음과 같은 규칙으로 쌓기나무를 쌓는다면 다섯 번째에 올 모양을 만들 때 필요한 쌓기나무는 몇 개인지 구해 보세요.

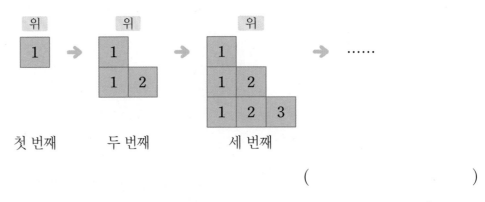

첫 번째   두 번째   세 번째

(   )

15 쌓기나무 7개로 조건 을 만족하는 모양을 만들었습니다. 이 모양을 위에서 본 모양을 그리고, 각 자리에 쌓인 쌓기나무의 개수를 써넣으세요.

조건
- 1층에는 쌓기나무가 5개 있습니다.
- 앞에서 본 모양과 옆에서 본 모양이 서로 같습니다.
- 3층짜리 모양입니다.

16 위, 앞, 옆에서 본 모양이 다음과 같도록 쌓기나무를 쌓으려고 합니다. 모두 몇 가지로 쌓을 수 있는지 구해 보세요. (단, 돌리거나 뒤집었을 때 같은 모양인 것은 1가지로 생각합니다.)

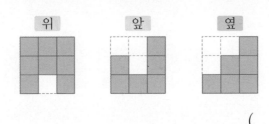

(   )

특강 창의·융합 사고력

1 피라미드를 보고 쌓기나무를 1층에 49개, 2층에 25개, 3층에 9개, 4층에 1개를 쌓아 다음과 같은 모양을 만들었습니다. 이 모양을 위에서 보았을 때 보이지 않는 쌓기나무는 모두 몇 개인지 구해 보세요.

▲ 출처 ©Waj/shutterstock

위

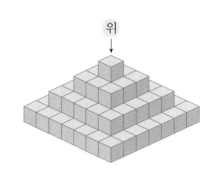

(1) 1층 쌓기나무 중 위에서 보았을 때 보이지 않는 쌓기나무의 개수를 구해 보세요.

(   )

(2) 2층 쌓기나무 중 위에서 보았을 때 보이지 않는 쌓기나무의 개수를 구해 보세요.

(   )

(3) 3층 쌓기나무 중 위에서 보았을 때 보이지 않는 쌓기나무의 개수를 구해 보세요.

(   )

(4) 위에서 보았을 때 보이지 않는 쌓기나무는 모두 몇 개인지 구해 보세요.

(   )

4 비례식과 비례배분

단원과 관련된 비례식 이야기를 살펴보아요.

비례식이 사용되는 경우

비율이 같은 두 비를 기호 ' : '를 사용하여 비례식으로 나타낼 수 있습니다. 실생활에서 비례식이 사용되는 경우를 알아볼까요?

☆ 영양 성분표

과자, 시리얼, 우유, 음료수 등을 자세히 살펴보면 아래 사진과 같이 영양 성분표가 있습니다.

영양성분			
1회 제공량 1컵(40 g)/ 총 약 9회 제공량(370 g)			
		1회 제공량당 함량	1회 제공량 + 저지방우유 200 ml
열량	(kcal)	150	230
탄수화물	(g)	34(10 %)	44(13 %)
식이섬유	(g)	3.8(15 %)	3.8(15 %)
당류	(g)	11	21
단백질	(g)	3(5 %)	9(15 %)
지방	(g)	1.1(2 %)	3.1(6 %)
포화지방	(g)	0.4(3 %)	1.6(11%)
트랜스지방	(g)	0	0
콜레스테롤	(mg)	0(0 %)	10(3 %)
나트륨	(mg)	60(3 %)	165(8 %)
비타민A	(μgRE)	–	20(3 %)
비타민C	(mg)	5(5 %)	5(5 %)
비타민B1	(mg)	–	0.08(8 %)
비타민B2	(mg)	0.21(18 %)	0.33(28 %)
나이아신	(mgNE)	0.51(4 %)	2.11(16 %)
비타민B6	(mg)	–	0.08(5 %)
비타민E	(mgα-TE)	0.65(7 %)	0.65(7 %)
철분	(mg)	1.40(9 %)	1.40(9 %)
아연	(mg)	0.78(7 %)	1.58(13 %)
칼슘	(mg)	160(23 %)	421(60 %)

*%영양소기준치 : 1일 영양소 기준치에 대한 비율

영양 성분을 표시할 때 1회 제공량으로 표시합니다. 사진처럼 1회 제공량이 40 g이고 총 무게가 370 g이라면 40 : 370으로 나타낼 수 있고 비율은 $\frac{40}{370}$입니다.

마찬가지로 1회 제공량당 탄수화물의 양은 34 g이고 총 탄수화물의 양을 □ g이라고 하면 34 : □로 나타낼 수 있고 비율은 $\frac{34}{□}$입니다.

두 비의 비율은 같으므로 40 : 370＝34 : □와 같이 나타낼 수 있고 이를 이용해 □의 값을 구할 수 있습니다.

함량 옆에 있는 %는 1일 영양소 기준치에 대한 비율을 나타냅니다. 하루에 필요한 영양소 권장량에서 1회 제공량만큼 먹었을 때 얻을 수 있는 비율을 표시한 것입니다.
탄수화물 34 g을 먹었을 때 비율은 10 %이고 탄수화물 □ g을 먹었을 때 비율이 100 %라면 34 : 10＝□ : 100과 같이 나타낼 수 있고 이를 이용해 □의 값을 구할 수 있습니다.

💡 □ 안에 알맞은 수를 써넣으세요.

1 5와 7의 비 ➡ □ : □   2 9 대 11 ➡ □ : □

3 3에 대한 4의 비 ➡ □ : □   4 5의 9에 대한 비 ➡ □ : □

💡 비율을 분수로 나타내어 보세요.

1 2 : 5   2 4 : 3

(   )   (   )

💡 사진기와 모니터의 가로와 세로의 비를 구하고 비율을 비교하려고 합니다. 물음에 답하세요.

9 cm
15 cm

24 cm
40 cm

1 사진기와 모니터의 가로와 세로의 비를 각각 구해 보세요.

사진기 (   )
모니터 (   )

2 사진기와 모니터의 가로와 세로의 비율을 비교해 보세요.

_____

_____

개념 1 비의 성질 알아보기

비 3 : 4에서 기호 ' : ' 앞에 있는 3을 전항,
뒤에 있는 4를 후항이라고 합니다.

$$\underset{\text{전항}}{3} : \underset{\text{후항}}{4}$$

• 비의 성질

① 비의 전항과 후항에 0이 아닌 같은 수를 곱하여도 비율은 같습니다.

예
$$3 : 4 \xrightarrow{\times 2} 6 : 8$$

비 3 : 4   비율 $\dfrac{3}{4}$

비 6 : 8   비율 $\dfrac{6}{8} = \dfrac{3}{4}$ 비율이 같습니다.

② 비의 전항과 후항을 0이 아닌 같은 수로 나누어도 비율은 같습니다.

예
$$9 : 6 \xrightarrow{\div 3} 3 : 2$$

비 9 : 6   비율 $\dfrac{9}{6} = \dfrac{3}{2}$

비 3 : 2   비율 $\dfrac{3}{2}$ 비율이 같습니다.

개념 2 간단한 자연수의 비로 나타내기

• 소수의 비를 간단한 자연수의 비로 나타내기

예
$$0.2 : 0.5 \xrightarrow{\times 10} 2 : 5$$

소수점 아래 자릿수에 따라 비의 전항과
후항에 10, 100, 1000……을 곱합니다.

• 분수의 비를 간단한 자연수의 비로 나타내기

예
$$\dfrac{1}{3} : \dfrac{1}{2} \xrightarrow{\times 6} 2 : 3$$

비의 전항과 후항에 두 분모의 공배수를
곱합니다.

• 소수와 분수의 비를 간단한 자연수의 비로 나타내기

예 $0.3 : \dfrac{1}{2}$

방법1 분수를 소수로 나타내기

후항인 $\dfrac{1}{2}$을 소수로 나타내면 0.5입
니다.

$$0.3 : 0.5 \xrightarrow{\times 10} 3 : 5$$

방법2 소수를 분수로 나타내기

전항인 0.3을 분수로 나타내면 $\dfrac{3}{10}$
입니다.

$$\dfrac{3}{10} : \dfrac{1}{2} \xrightarrow{\times 10} 3 : 5$$

개념 확인 문제

1-1 전항에 ○표, 후항에 △표 하세요.

(1)
$$7 : 2$$

(2)
$$4 : 1$$

1-2 비의 성질을 이용하여 비율이 같은 비를 찾아 선으로 이어 보세요.

$9 : 15$ •	• $12 : 42$
$2 : 7$ •	• $3 : 5$
$4 : 1$ •	• $16 : 4$

2-1 간단한 자연수의 비로 나타내어 보세요.

(1) $0.7 : 0.9$ ➡ (   )

(2) $\dfrac{1}{4} : \dfrac{1}{3}$ ➡ (   )

2-2 $0.3 : \dfrac{4}{5}$ 를 간단한 자연수의 비로 나타내려고 합니다. □ 안에 알맞은 수를 써넣으세요.

방법1 $0.3 : \dfrac{4}{5}$ ➡ $0.3 : \boxed{}$ ➡ $3 : \boxed{}$ ← 소수

방법2 $0.3 : \dfrac{4}{5}$ ➡ $\boxed{} : \dfrac{4}{5}$ ➡ $3 : \boxed{}$ ← 분수

개념 **3** 비례식 알아보기

- 비례식: 비율이 같은 두 비를 기호 '='를 사용하여 나타낸 식

비 3 : 4   비율 $\frac{3}{4}$ ⌉ 비율이 같으므로 비례식으로 나타낼 수 있습니다.

비 6 : 8   비율 $\frac{6}{8}=\frac{3}{4}$ ⌋ → 3 : 4 = 6 : 8

- 외항: 비례식 3 : 4 = 6 : 8에서 바깥쪽에 있는 3과 8
- 내항: 비례식 3 : 4 = 6 : 8에서 안쪽에 있는 4와 6

- 비례식을 이용하여 비의 성질 나타내기

예 1 : 2는 전항과 후항에 2를 곱한 2 : 4와 그 비율이 같습니다.

$$1 : 2 = 2 : 4$$
(×2, ×2)

$\begin{bmatrix} 1 : 2 & → & 비율: \frac{1}{2} \\ 2 : 4 & → & 비율: \frac{2}{4}=\frac{1}{2} \end{bmatrix}$ 비율이 같습니다.

예 3 : 6은 전항과 후항을 3으로 나눈 1 : 2와 그 비율이 같습니다.

$$3 : 6 = 1 : 2$$
(÷3, ÷3)

$\begin{bmatrix} 3 : 6 & → & 비율: \frac{3}{6}=\frac{1}{2} \\ 1 : 2 & → & 비율: \frac{1}{2} \end{bmatrix}$ 비율이 같습니다.

개념 **4** 비례식의 성질 알아보기

예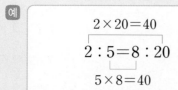

2 : 5 = 8 : 20

→ 외항의 곱: 2×20=40 ⌉ 같습니다.
   내항의 곱: 5×8=40 ⌋

비례식에서 외항의 곱과 내항의 곱은 같습니다.

참고

- 비례식이 맞는지 확인하기

2 : 5 = 8 : 20
┌ 외항의 곱: 2×20=40
└ 내항의 곱: 5×8=40
➡ 외항의 곱과 내항의 곱이 같으므로 비례식이 맞습니다.

2 : 20 = 5 : 8
┌ 외항의 곱: 2×8=16
└ 내항의 곱: 20×5=100
➡ 외항의 곱과 내항의 곱이 같지 않으므로 비례식이 아닙니다.

개념 확인 문제

3-1 비례식에서 외항과 내항을 각각 써 보세요.

$$3 : 7 = 6 : 14$$

외항 (,   )

내항 (,   )

3
주
교과서

3-2 비율이 같은 두 비를 보기 와 같이 비례식으로 나타내어 보세요.

보기

$$2 : 5, \ 4 : 10 \ \Rightarrow \ 2 : 5 = 4 : 10$$

$2 : 3, \ 4 : 6 \ \Rightarrow$ _____

4-1 □ 안에 알맞은 수를 써넣으세요.

$$4 : 5 = 12 : 15$$

→ (외항의 곱) = □ × □ = □

(내항의 곱) = □ × □ = □

4-2 비례식인 것을 찾아 기호를 써 보세요.

㉠ $6 : 5 = 20 : 24$ ㉡ $12 : 8 = 3 : 2$

㉢ $3 : 7 = 9 : 28$ ㉣ $6 : 5 = 18 : 10$

(   )

개념 5 비례식의 성질을 이용하여 □의 값 구하기

예 $3 : 5 = □ : 15$

$$3 : 5 = □ : 15$$
3×15
$5 \times □$

외항의 곱: $3 \times 15 = 45$
내항의 곱: $5 \times □$
→ $45 = 5 \times □$
$□ = 9$

개념 6 비례식 활용하기

예 상자에 사과와 귤이 4 : 7의 비로 있습니다. 사과가 20개 있다면 귤은 몇 개 있는지 구해 보세요.

① 구하려는 것을 □라 하기

→ 귤의 수: □개

② □를 사용하여 비례식을 세우기

→ $4 : 7 = 20 : □$

③ 비례식의 성질을 이용하여 □의 값 구하기

→ $4 \times □ = 7 \times 20$

$4 \times □ = 140$

$□ = 35$

④ 문제 해결하기

→ 귤은 35개 있습니다.

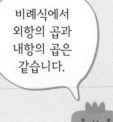
비례식에서 외항의 곱과 내항의 곱은 같습니다.

참고

다른 방법으로 문제 해결하기

• 비의 성질 이용하기

비의 전항과 후항에 0이 아닌 같은 수를 곱하여도 비율은 같습니다.

$4 : 7 = 20 : □$
$\times 5$
$\times 5$

→ $□ = 7 \times 5 = 35$

• 비율 이용하기

비례식에서 두 비의 비율은 같습니다.

$(비율) = \dfrac{(비교하는 양)}{(기준량)}$ 을 이용하면

$\dfrac{4}{7} = \dfrac{4 \times 5}{7 \times 5} = \dfrac{20}{□}$ 입니다.

→ $□ = 7 \times 5 = 35$

개념 확인 문제

5 비례식의 성질을 이용하여 ☐ 안에 알맞은 수를 써넣으세요.

(1) $4 : 9 = $ ☐ $: 27$

(2) $2 : 3 = 12 : $ ☐

6-1 가로와 세로의 비가 $7 : 5$인 직사각형이 있습니다. 이 직사각형의 가로가 28 cm라면 세로는 몇 cm인지 구하려고 합니다. 물음에 답하세요.

(1) 직사각형의 세로를 ▲ cm라 하고 비례식을 세워 보세요.

식 _____

(2) 비례식의 성질을 이용하여 ☐ 안에 알맞은 수를 써넣으세요.

$$7 : 5 = \boxed{} : ▲$$

$$\boxed{} × ▲ = 5 × \boxed{}$$

$$\boxed{} × ▲ = \boxed{}$$

$$▲ = \boxed{}$$

6-2 9분 동안 11 km를 가는 자동차가 있습니다. 같은 빠르기로 이 자동차가 36분 동안 가는 거리는 몇 km인지 구해 보세요.

(   )

개념 **7** 비례배분하기

- 비례배분: 전체를 주어진 비로 배분하는 것

예 귤 15개를 3 : 2로 나누기

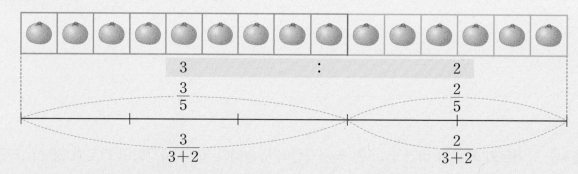

$$15 \times \frac{3}{3+2} = 15 \times \frac{3}{5} = 9(개)$$

$$15 \times \frac{2}{3+2} = 15 \times \frac{2}{5} = 6(개)$$

전체를 가 : 나 = ● : ▲로 나누기

$$가 = (전체) \times \frac{●}{●+▲}, \quad 나 = (전체) \times \frac{▲}{●+▲}$$

개념 **8** 비례배분을 이용하여 문제 해결하기

예 사탕 12개를 동호와 동생이 3 : 1로 나누어 가지려고 합니다. 동호가 사탕을 몇 개 가져야 하는지 구해 보세요.

➡ 동호가 가지는 사탕의 수는 전체 사탕의 $\frac{3}{3+1}$이므로 $12 \times \frac{3}{4} = 9(개)$입니다.

참고

다른 방법으로 문제 해결하기

- 비의 성질 이용하기

동호가 가지는 사탕의 수는 전체 사탕의 $\frac{3}{3+1} = \frac{3}{4}$이므로

(전체 사탕의 수) : (동호가 가질 사탕의 수) = 4 : 3입니다.

동호가 가지는 사탕의 수를 □개라 하면

$$4 : 3 = 12 : □ \implies □ = 3 \times 3 = 9$$입니다.

개념 확인 문제

7-1 35를 4 : 3으로 나누려고 합니다. □ 안에 알맞은 수를 써넣으세요.

$$35 \times \frac{\boxed{}}{\boxed{}+3} = 35 \times \frac{\boxed{}}{\boxed{}} = \boxed{}$$

$$35 \times \frac{\boxed{}}{4+\boxed{}} = 35 \times \frac{\boxed{}}{\boxed{}} = \boxed{}$$

7-2 60을 주어진 비로 나누어 보세요.

(1) 　　7 : 3　　➡ (　　　　　　,　　　　　　)

(2) 　　1 : 5　　➡ (　　　　　　,　　　　　　)

8 언니와 혜미는 부모님의 선물을 함께 사기로 했습니다. 선물 가격은 4400원이고 언니와 혜미가 6 : 5로 나누어 내려고 합니다. 언니와 혜미가 내야 하는 돈은 각각 얼마인지 구해 보세요.

$$\text{언니: } 4400 \times \frac{\boxed{}}{\boxed{}+5} = 4400 \times \frac{\boxed{}}{\boxed{}} = \boxed{} \text{(원)}$$

$$\text{혜미: } 4400 \times \frac{\boxed{}}{6+\boxed{}} = 4400 \times \frac{\boxed{}}{\boxed{}} = \boxed{} \text{(원)}$$

준비물 붙임딱지

간판 가게에 주문이 많이 들어 왔습니다.
간단한 자연수의 비로 나타낸 간판을 붙여 보세요.

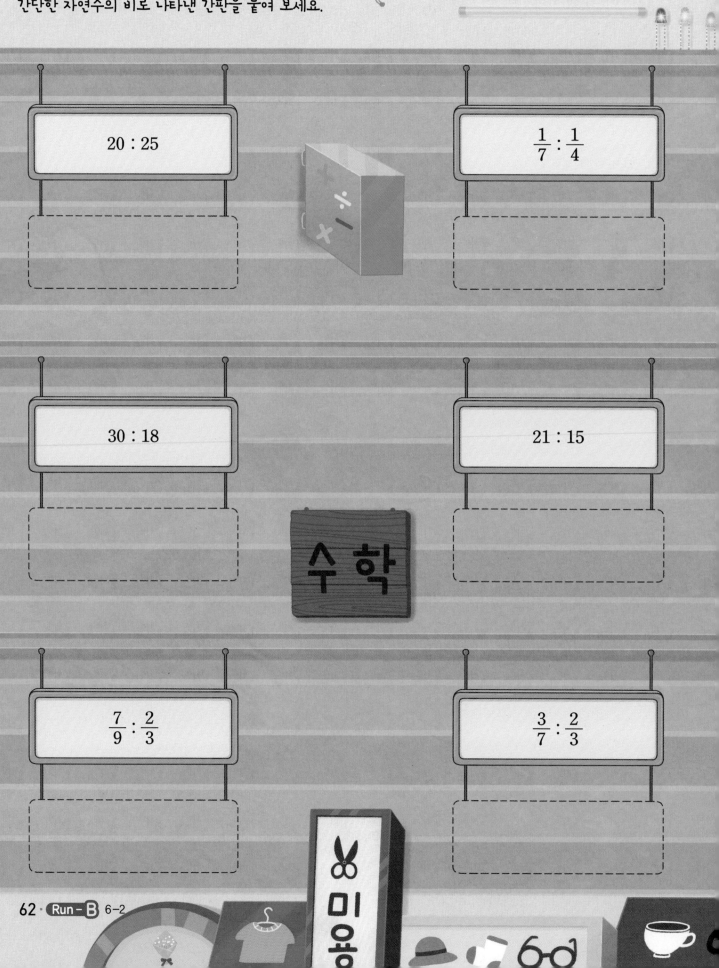

$20 : 25$

$\dfrac{1}{7} : \dfrac{1}{4}$

$30 : 18$

$21 : 15$

수 학

$\dfrac{7}{9} : \dfrac{2}{3}$

$\dfrac{3}{7} : \dfrac{2}{3}$

준비물 붙임딱지

미용

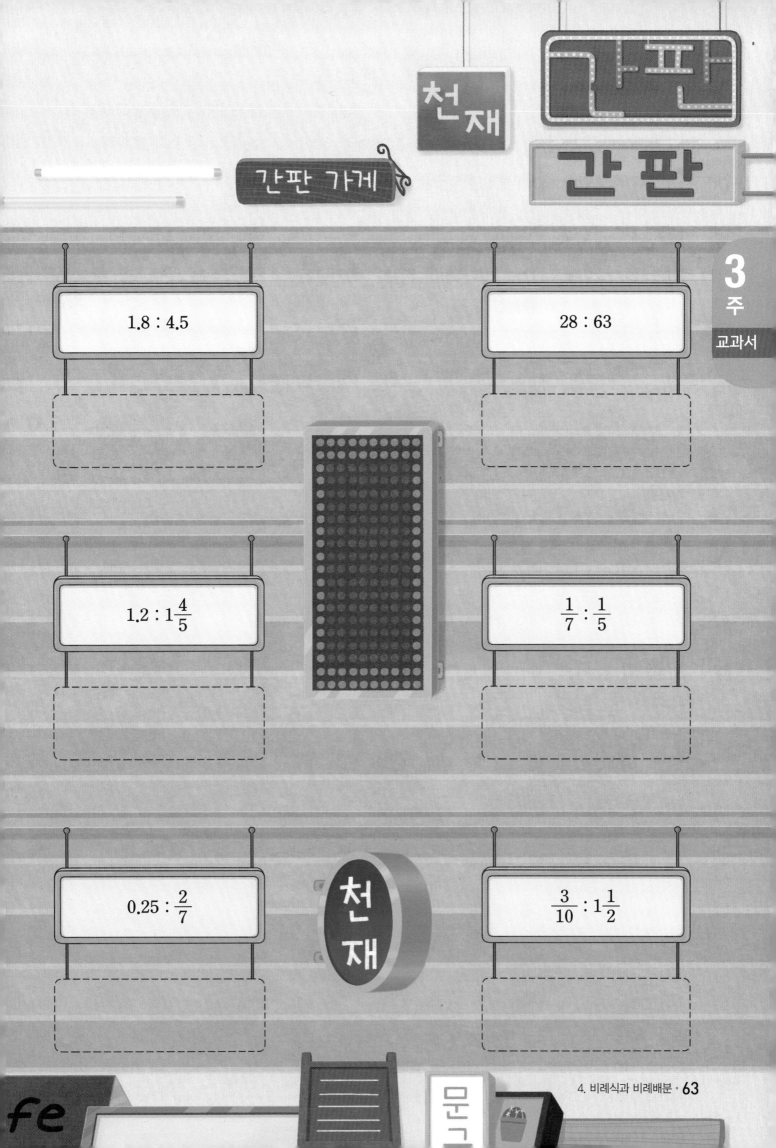

1.8 : 4.5

28 : 63

$1.2 : 1\dfrac{4}{5}$

$\dfrac{1}{7} : \dfrac{1}{5}$

$0.25 : \dfrac{2}{7}$

$\dfrac{3}{10} : 1\dfrac{1}{2}$

간판 가게

천재

간판

간판

천재

문

떡 나누어 주기

준비물 붙임딱지

숲 속에 잔치가 벌어졌습니다.
주어진 떡을 그릇에 써 있는 비에 알맞게 동물들의 접시에 나누어 주세요.

40 g

2 : 3

98 g

4 : 3

96 g

5 : 7

121 g

6 : 5

90 g

3 : 7

개념 1 비의 성질 알아보기

01 표의 빈칸에 알맞은 수를 써넣으세요.

비	전항	후항
11 : 17		
9 : 5		

02 비의 성질을 이용하여 □ 안에 알맞은 수를 써넣으세요.

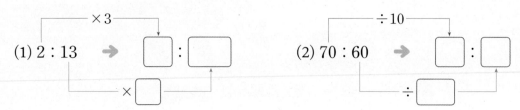

03 6 : 15와 비율이 같은 비를 보기 에서 모두 찾아 기호를 써 보세요.

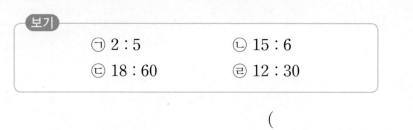

(   )

개념 2 간단한 자연수의 비로 나타내기

04 $\frac{1}{7} : \frac{8}{21}$ 을 간단한 자연수의 비로 나타내려면 전항과 후항에 각각 얼마를 곱해야 하는지 써 보세요.

(   )

05 간단한 자연수의 비로 나타내어 보세요.

(1)   0.3 : 1.4   ➡ (   )

(2)   0.45 : 0.78   ➡ (   )

06 직사각형 모양의 공책이 있습니다. 가로와 세로의 비를 간단한 자연수의 비로 나타내어 보세요.

$12\frac{2}{3}$ cm

9.8 cm

(   )

개념3 비례식 알아보기

07 다음 비례식에서 전항이면서 외항인 수를 찾아 써 보세요.

$$9 : 22 = 18 : 44$$

(   )

08 비례식인 것을 모두 찾아 기호를 써 보세요.

ㄱ $2 : 5 = 6 : 25$ ㄴ $17 : 41 = 34 : 82$

ㄷ $6 : 7 = 24 : 35$ ㄹ $54 : 24 = 9 : 4$

(   )

09 비율이 같은 두 비를 찾아 비례식으로 나타내어 보세요.

$$7 : 3 \qquad 6 : 4 \qquad 15 : 10$$

(   )

개념 4 비례식의 성질 알아보기

10 비례식의 성질을 이용하여 ☐ 안에 알맞은 수를 써넣으세요.

(1) $8 : 5 = \boxed{} : 45$

(2) $36 : 64 = 9 : \boxed{}$

11 각 비의 비율이 $\dfrac{3}{5}$이 되도록 ㉠과 ㉡에 알맞은 수를 각각 구해 보세요.

(1) $3 : \boxed{㉠} = 24 : \boxed{㉡}$

㉠ (   )
㉡ (   )

(2) $\boxed{㉠} : 10 = 18 : \boxed{㉡}$

㉠ (   )
㉡ (   )

12 비례식에서 외항의 곱이 280이라면 ㉠과 ㉡은 각각 얼마인지 구해 보세요.

$$7 : 8 = ㉠ : ㉡$$

㉠ (   )
㉡ (   )

개념 5 비례식 활용하기

13 맞물려 돌아가는 두 톱니바퀴가 있습니다. ㉮가 4번 도는 동안에 ㉯는 3번 돕니다. ㉮가 60번 도는 동안에 ㉯는 몇 번 도는지 구해 보세요.

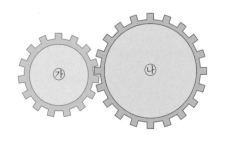

(   )

14 4개에 2500원 하는 과자가 있습니다. 이 과자를 12개 사려면 얼마가 필요한지 구해 보세요.

(   )

15 일정한 빠르기로 10분 동안에 13 km를 가는 자동차가 있습니다. 이 자동차가 같은 빠르기로 182 km를 가는 데 몇 시간 몇 분이 걸리는지 구해 보세요.

(   )

개념 6   비례배분하기

16 9000원을 민지와 동생에게 5 : 4로 나누어 줄 때 두 사람이 각각 얼마씩 갖게 되는지 구해 보세요.

민지 (   )

동생 (   )

17 어느 날 낮과 밤의 길이의 비가 $5\frac{1}{2} : 6\frac{1}{2}$ 이라면 밤은 몇 시간인지 구해 보세요.

(   )

18 두 정사각형 가와 나의 한 변의 길이의 비가 5 : 8이라고 합니다. 가와 나의 둘레의 합이 104 cm일 때 나의 둘레는 몇 cm인지 구해 보세요.

가

나

(   )

★ 넓이의 비를 간단한 자연수의 비로 나타내기

1 두 직사각형의 세로는 같습니다. 직사각형 가와 나의 넓이의 비를 간단한 자연수의 비로 나타내어 보세요.

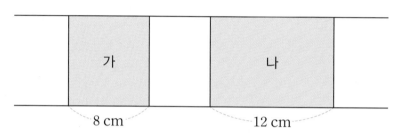

답 _____

개념
피드백

① (직사각형의 넓이)＝(가로)×(세로)
② 세로가 같으면 가로의 비는 넓이의 비와 같습니다.

1-1 정사각형의 한 변의 길이와 평행사변형의 높이는 같습니다. 정사각형과 평행사변형의 넓이의 비를 간단한 자연수의 비로 나타내어 보세요.

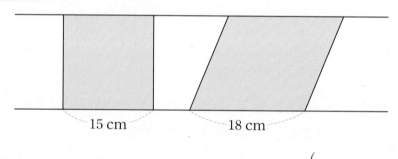

(   )

1-2 평행사변형과 삼각형의 높이는 같습니다. 평행사변형과 삼각형의 넓이의 비를 간단한 자연수의 비로 나타내어 보세요.

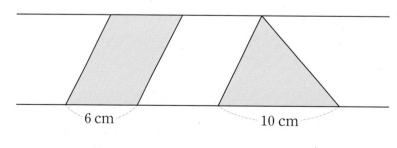

(   )

★ **비례배분의 활용**

2 색종이를 강호와 은주가 나누어 가졌습니다. 색종이는 모두 몇 장인지 구해 보세요.

내가 가진 색종이는 35장입니다.

강호와 내가 가진 색종이 수의 비는 5 : 7입니다.

강호   은주

답 _____

개념 피드백
① 처음 색종이 수를 □장이라 하고 비례배분한 식을 세웁니다.
② ①의 식을 이용하여 답을 구합니다.

2-1 어머니께서 주신 용돈을 민지와 동생이 4 : 3으로 나누어 가졌습니다. 민지가 가진 용돈이 2400원이라면 어머니께서 주신 용돈은 얼마인지 구해 보세요.

(   )

2-2 현수와 진수가 나누어 가진 배의 무게의 비가 2 : 3입니다. 진수가 가진 배의 무게가 45 kg이라면 전체 배의 무게는 몇 kg인지 구해 보세요.

(   )

★ 간단한 자연수의 비로 나타내기

3 ㉮ : ㉯를 간단한 자연수의 비로 나타내어 보세요.

$$㉮ \times 20 = ㉯ \times 32$$

답 _____

개념 피드백
① 비례식에서 외항의 곱과 내항의 곱은 같습니다.
② ㉮ : ㉯를 비로 놓고 비례식을 세웁니다.
③ 간단한 자연수의 비로 나타냅니다.

3-1 ㉮ : ㉯를 간단한 자연수의 비로 나타내어 보세요.

$$㉮ \times \frac{2}{5} = ㉯ \times \frac{3}{4}$$

(   )

3-2 ㉮ : ㉯를 간단한 자연수의 비로 나타내어 보세요.

$$㉮ \times 0.8 = ㉯ \times 1.4$$

(   )

★ 비례배분하여 길이 구하기

4 210 cm의 끈을 겹치지 않게 모두 사용하여 가로와 세로의 비가 3 : 4인 직사각형을 만들려고 합니다. 가로와 세로는 각각 몇 cm인지 구해 보세요.

답 가로:_____, 세로:_____

개념 피드백
① (가로)+(세로)=(직사각형의 둘레)÷2
② 주어진 비로 비례배분합니다.

4-1 직사각형의 가로와 세로의 비가 6 : 5입니다. 이 직사각형의 둘레가 154 cm일 때 가로와 세로는 각각 몇 cm인지 구해 보세요.

가로 (   )

세로 (   )

4-2 사다리꼴의 윗변의 길이와 아랫변의 길이의 비가 5 : 7입니다. 사다리꼴의 둘레가 42 cm일 때 아랫변의 길이를 구해 보세요.

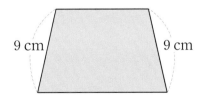

(   )

⭐ 부분의 비율을 이용하여 전체 구하기

5 정호네 반 학생의 40 %는 안경을 쓰고 있습니다. 안경을 쓴 학생이 14명일 때, 정호네 반 전체 학생은 몇 명인지 구해 보세요.

답 _____

> **개념 피드백**
> ① 전체 학생 수의 백분율은 100 %입니다.
> ② 전체 학생 수를 ☐명이라 하고 비례식을 세웁니다.
> ③ ②의 식을 이용하여 답을 구합니다.

5-1 연수네 반 학생의 80 %는 휴대 전화를 가지고 있습니다. 휴대 전화를 가지고 있는 학생이 20명일 때, 연수네 반 학생은 몇 명인지 구해 보세요.

(   )

5-2 혜민이네 반 학생의 25 %는 동생이 있습니다. 동생이 있는 학생이 12명일 때, 동생이 없는 학생은 몇 명인지 구해 보세요.

(   )

5-3 어느 도넛 가게에서 도넛의 65 %를 팔았습니다. 팔고 남은 도넛의 수가 70개일 때, 도넛 가게에 있던 전체 도넛의 수는 몇 개인지 구해 보세요.

(   )

★ **조건에 맞는 비례식 완성하기**

6 대화를 보고 비례식을 완성해 보세요.

비의 비율은 $\frac{2}{7}$에요.

민기

내항의 곱은 84예요.

윤하

답 $\boxed{} : 14 = \boxed{} : \boxed{}$

개념 피드백
① 비의 비율을 이용하여 전항을 구합니다.
② 내항의 곱을 이용하여 내항을 구합니다.
③ 외항의 곱과 내항의 곱이 같음을 이용하여 외항을 구합니다.

6-1 조건 에 맞게 비례식을 완성해 보세요.

조건
• 비율은 $\frac{5}{6}$입니다.
• 내항의 곱은 360입니다.

$\boxed{} : 24 = \boxed{} : \boxed{}$

6-2 조건 에 맞게 비례식을 완성해 보세요.

조건
• 비율은 $\frac{3}{5}$입니다.
• 외항의 곱은 180입니다.

$9 : \boxed{} = \boxed{} : \boxed{}$

1 똑같은 일을 하는 데 민정이는 4시간, 동현이는 7시간이 걸렸습니다. 민정이와 동현이가 한 시간 동안 한 일의 양의 비를 간단한 자연수의 비로 나타내어 보세요.

✎ 구하려는 것, 주어진 것에 선을 그어 봅니다.

해결하기 전체 일의 양을 1이라 하고 한 시간 동안 한 일의 양을 분수로 나타내면

민정이는 ☐, 동현이는 ☐ 입니다.

민정이와 동현이가 한 시간 동안 한 일의 양을 간단한 자연수의 비로 나타내면

☐ : ☐ 입니다.

답 구하기 ☐

2 똑같은 일을 하는 데 정우는 5시간, 혜미는 3시간이 걸렸습니다. 정우와 혜미가 한 시간 동안 한 일의 양의 비를 간단한 자연수의 비로 나타내어 보세요.

✎ 구하려는 것, 주어진 것에 선을 그어 봅니다.

해결하기

답 구하기

3 맞물려 돌아가는 톱니바퀴 ㉮와 ㉯가 있습니다. ㉮ 톱니바퀴가 3바퀴 돌 때 ㉯ 톱니바퀴는 2바퀴 돕니다. ㉮가 15바퀴 돌 때 ㉯는 몇 바퀴 도는지 구해 보세요.

✏️ 구하려는 것, 주어진 것에 선을 그어 봅니다.

해결하기 ㉯가 도는 바퀴 수를 ■바퀴라 하고 비례식을 세우면

$$3 : 2 = \boxed{} : ■ 입니다.$$

$$3 × ■ = 2 × \boxed{} , \quad 3 × ■ = \boxed{} , \quad ■ = \boxed{}$$

답 구하기 □

4 맞물려 돌아가는 톱니바퀴 ㉮와 ㉯가 있습니다. ㉮ 톱니바퀴가 7바퀴 돌 때 ㉯ 톱니바퀴는 5바퀴 돕니다. ㉮가 21바퀴 돌 때 ㉯는 몇 바퀴 도는지 구해 보세요.

✏️ 구하려는 것, 주어진 것에 선을 그어 봅니다.

해결하기

답 구하기

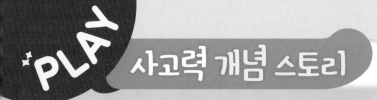

상자 수 구하기

사고력 개념 스토리

준비물 붙임딱지

사과 상자와 배 상자의 비에 알맞게 사과 또는 배 상자 붙임딱지를 붙여 보세요.

사고력 개념 스토리 ## 저울 수평 맞추기

준비물 붙임딱지

저울이 수평이 되도록 추 붙임딱지를 붙여 보세요.

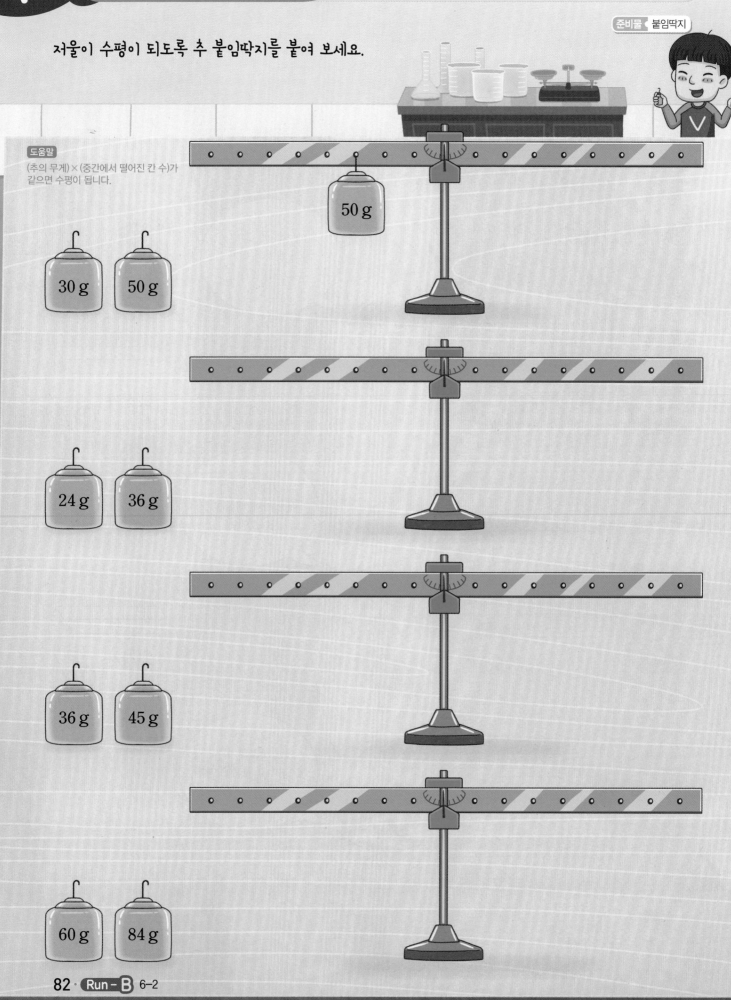

도움말
(추의 무게) × (중간에서 떨어진 칸 수)가
같으면 수평이 됩니다.

50 g

30 g 50 g

24 g 36 g

36 g 45 g

60 g 84 g

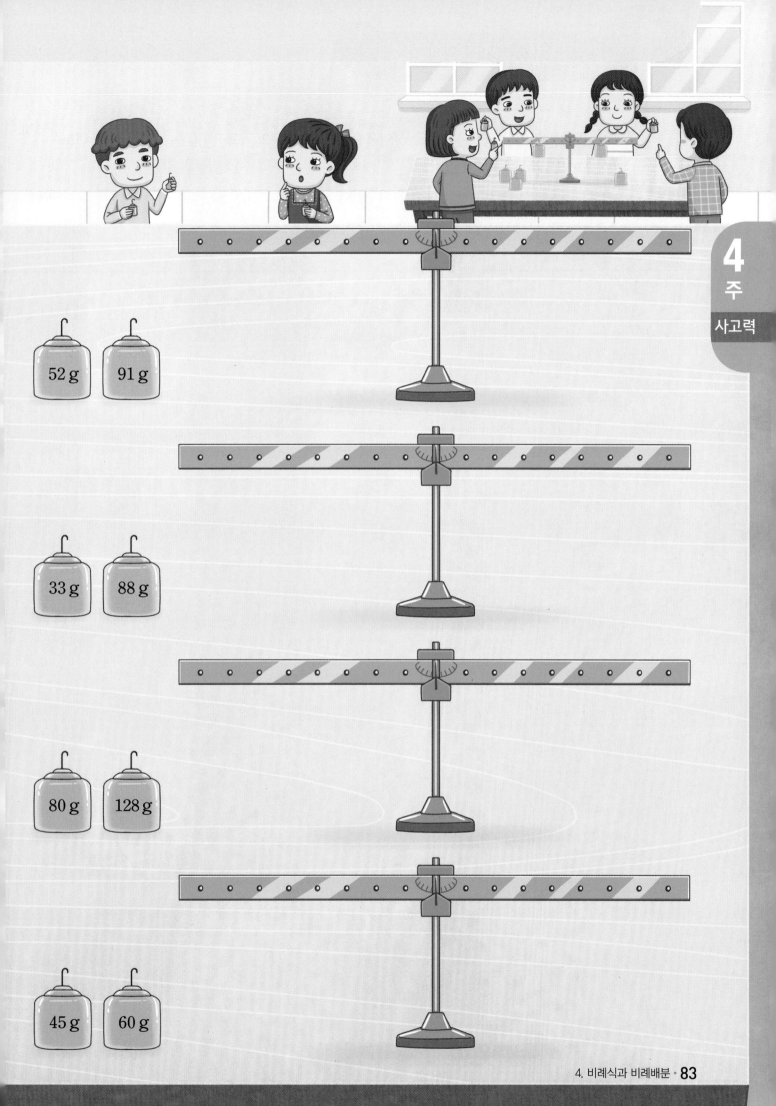

1 화단에 똑같은 꽃이 일정한 간격으로 심어져 있습니다. 화단의 가로가 60 cm라면 세로는 몇 cm인지 구해 보세요. (단, 화단의 가로와 세로의 비율은 꽃의 수의 비율과 같습니다.)

1 화단을 보고 가로와 세로의 비를 구해 보세요.

(   )

2 화단의 세로를 ☐ cm라 하고 비례식을 세워 보세요.

식 _____

3 화단의 세로는 몇 cm인지 구해 보세요.

(   )

2 선영이는 정육점에 고기를 사러 갔습니다. 돼지고기 250 g과 소고기 300 g을 사려고 할 때 필요한 돈은 모두 얼마인지 구해 보세요.

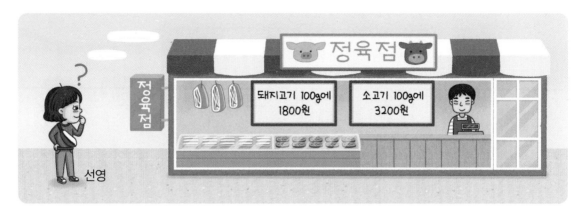

1 돼지고기 250 g을 사는 데 필요한 돈을 □원이라 하고 비례식을 세워 보세요.

식 _____

2 돼지고기 250 g을 사는 데 필요한 돈을 구해 보세요.

(   )

3 소고기 300 g을 사는 데 필요한 돈을 □원이라 하고 비례식을 세워 보세요.

식 _____

4 소고기 300 g을 사는 데 필요한 돈을 구해 보세요.

(   )

5 돼지고기 250 g과 소고기 300 g을 사는 데 필요한 돈은 모두 얼마인지 구해 보세요.

(   )

3 지민이는 6월 한 달 동안 일을 하고 150000원을 받았습니다. 일주일 동안 얼마를 받은 셈인지 구해 보세요.

❶ 6월은 며칠까지 있는지 구해 보세요.

(   )

❷ 일주일은 며칠인지 써 보세요.

(   )

❸ 일주일 동안 받는 돈을 □원이라 하고 비례식을 세워 보세요.

식 _____

❹ 일주일 동안 얼마를 받은 셈인지 구해 보세요.

(   )

4 직사각형 모양 밭 중에서 색칠한 부분에 상추를 심었습니다. 상추를 심은 밭의 넓이는 $42 \, \mathrm{m}^2$ 이고 전체 밭의 $35 \, \%$ 일 때 상추를 심은 밭과 심지 않은 밭의 넓이의 차를 구해 보세요.

❶ 상추를 심지 않은 밭은 전체의 몇 %인지 구해 보세요.

(   )

❷ 상추를 심지 않은 밭의 넓이를 □ m^2 라 하고 비례식을 세워 보세요.

식

❸ 상추를 심지 않은 밭의 넓이는 몇 m^2 인지 구해 보세요.

(   )

❹ 상추를 심은 밭과 심지 않은 밭의 넓이의 차를 구해 보세요.

(   )

교과 사고력 확장

1 직선에서 ㉠과 ㉡의 각의 크기의 비를 보고 ㉠과 ㉡의 각도를 각각 구해 보세요.

❶

$$㉠ : ㉡ = 7 : 5$$

㉠ (   )
㉡ (   )

❷

$$㉠ : ㉡ = 4 : 5$$

㉠ (   )
㉡ (   )

❸

$$㉠ : ㉡ = 8 : 7$$

㉠ (   )
㉡ (   )

2 알파벳을 숫자로 바꾼 표입니다. 비례식의 □ 안에 알맞은 수를 써넣고 알파벳으로 바꾸어 단어를 완성해 보세요.

A	B	C	D	E	F	G	H	I	J	K	L	M
1	2	3	4	5	6	7	8	9	10	11	12	13
N	O	P	Q	R	S	T	U	V	W	X	Y	Z
14	15	16	17	18	19	20	21	22	23	24	25	26

❶ $5 : 2 = 10 : \boxed{}$ ➡ 알파벳 $\boxed{}$

$3 : 7 = \boxed{} : 35$ ➡ $\boxed{}$

$\boxed{} : 5 = 2.8 : 2$ ➡ $\boxed{}$

(   )

❷ $\boxed{} : 12 = 6\frac{2}{3} : 4$ ➡ $\boxed{}$

$10.5 : \boxed{} = 1.4 : 2$ ➡ $\boxed{}$

$7\frac{1}{2} : 1.5 = \boxed{} : 5$ ➡ $\boxed{}$

(   )

3 하루에 4분씩 빨리 가는 시계가 있습니다. 어느 날 오전 9시에 이 시계를 정확히 맞추었다면 다음 날 오후 3시에 이 시계가 가리키는 시각은 오후 몇 시 몇 분인지 구해 보세요.

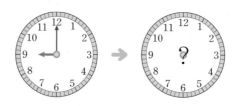

1 하루는 몇 시간인지 써 보세요.

( )

2 어느 날 오전 9시부터 다음 날 오후 3시까지는 몇 시간인지 구해 보세요.

( )

3 시계가 빨라진 시간을 □분이라 하고 비례식을 세워 보세요.

식

4 어느 날 오전 9시부터 다음 날 오후 3시까지는 몇 분 빨라졌는지 구해 보세요.

( )

5 다음 날 오후 3시에 이 시계가 가리키는 시각은 오후 몇 시 몇 분인지 구해 보세요.

( )

4 **다음을 보고 직사각형의 넓이를 구해 보세요.**

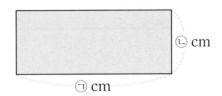

둘레: 112 cm

㉠ : ㉡ = 5 : 2

ⓛ ㉠＋㉡의 값을 구해 보세요.

( )

② ①에서 구한 값을 5 : 2로 비례배분해 보세요.

(,)

③ ㉠과 ㉡을 각각 써 보세요.

㉠ ( ), ㉡ ( )

④ 직사각형의 넓이를 구해 보세요.

( )

4
주
사고력

평가 영역 ☐개념 이해력 ☑개념 응용력 ☐창의력 ☐문제 해결력

1 두 직사각형의 넓이의 비가 2 : 3일 때, 나 직사각형의 세로를 구해 보세요.

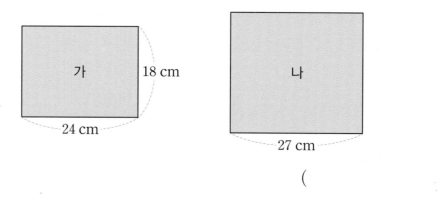

(   )

평가 영역 ☐개념 이해력 ☐개념 응용력 ☐창의력 ☑문제 해결력

2 대화를 보고 나눈 딱지를 모아서 다시 현서와 은주가 7 : 5로 나눌 때 현서가 가지는 딱지의 수를 구해 보세요.

(   )

4
주
사고력

평가 영역 ☐개념 이해력 ☑개념 응용력 ☐창의력 ☐문제 해결력

3 수조에 30 L의 물을 더 부으면 넘치지 않고 가득 차게 됩니다. 수조에 담긴 물의 높이가 15 cm일 때, 수조에 담긴 물의 양을 구해 보세요.

(   )

평가 영역 ☐개념 이해력 ☐개념 응용력 ☐창의력 ☑문제 해결력

4 대화를 보고 처음에 준우가 갖고 있던 연필의 수를 구해 보세요.

나는 처음에 36자루를 갖고 있었는데 준우에게 6자루를 주었어.

서희한테 6자루를 받았더니 서희와 내가 가지고 있는 연필 수의 비가 3 : 2가 되었어.

서희   준우

(   )

1 □ 안에 알맞은 수를 써넣으세요.

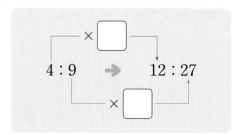

2 비례식에서 외항과 내항을 각각 찾아 써 보세요.

$$5 : 9 = 45 : 81$$

외항 (,   )

내항 (,   )

3 두 분모의 최소공배수를 구하고 전항과 후항에 최소공배수를 곱하여 간단한 자연수의 비로 나타내어 보세요.

$$\frac{1}{4} : \frac{1}{6}$$

최소공배수 (   )

간단한 자연수의 비 (   )

4 비율이 같은 비를 찾아 선으로 이어 보세요.

9 : 5 •   • 12 : 21

4 : 7 •   • 10 : 5

6 : 3 •   • 18 : 10

5 비례식의 성질을 이용하여 ☐ 안에 알맞은 수를 써넣으세요.

$$3 : 29 = 27 : \boxed{}$$

6 수 카드 중에서 4장을 골라 비례식을 만들어 보세요.

2   9   5   3   6

식 _____

7 8초에 7장을 복사하는 복사기가 있습니다. 42장을 복사하는 데 걸리는 시간은 몇 초인지 구해 보세요.

(   )

8 비례식에서 외항의 곱이 120일 때 ㉠과 ㉡에 알맞은 수를 각각 구해 보세요.

$$㉠ : 6 = ㉡ : 30$$

㉠ (   )

㉡ (   )

9 호준이네 학교 6학년 전체 학생은 330명입니다. 남학생 수와 여학생 수의 비는 8 : 7일 때 남학생 수와 여학생 수를 각각 구해 보세요.

남학생 (   )

여학생 (   )

10 두 평행사변형의 높이는 같습니다. 두 평행사변형 가와 나의 넓이의 비를 간단한 자연수의 비로 나타내어 보세요.

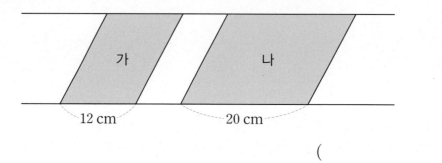

(   )

11 소금과 물을 2 : 7로 섞어 소금물을 만들려고 합니다. 소금을 30 g 넣으면 물은 몇 g 넣어야 하는지 구해 보세요.

(   )

12 사과 5개에 2000원일 때, 사과 8개의 값은 얼마인지 구해 보세요.

(   )

13 두 정사각형 ㉠과 ㉡의 넓이의 비를 간단한 자연수의 비로 나타내어 보세요.

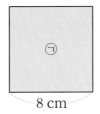
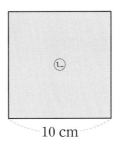

8 cm   10 cm

(   )

14 똑같은 일을 하는 데 세미는 4시간, 동진이는 3시간 걸렸습니다. 세미와 동진이가 한 시간 동안 일한 양의 비를 간단한 자연수의 비로 나타내어 보세요.

(   )

15 다음 삼각형의 밑변의 길이와 높이의 비가 5 : 3입니다. 삼각형의 넓이는 몇 cm²인지 구해 보세요.

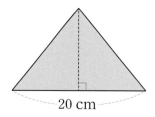

20 cm

(   )

16 맞물려 돌아가는 두 톱니바퀴가 있습니다. ㉮의 톱니 수는 32개이고, ㉯의 톱니 수는 20개 입니다. ㉯가 16번 돌때 ㉮는 몇 번 도는지 구해 보세요.

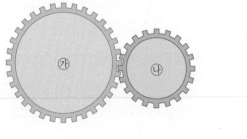

(   )

17 수조에 32 L의 물을 더 부으면 넘치지 않고 가득 차게 됩니다. 수조에 담긴 물의 높이가 15 cm일 때, 수조에 담긴 물의 양을 구해 보세요.

25 cm   15 cm

(   )

1 서로 다른 나라의 돈을 바꾸는 것을 환전이라고 하고 우리나라 돈과 다른 나라 돈의 교환 비율을 환율이라고 합니다. 진수는 미국 여행을 가기 위해 공항에 있는 환전소를 들렀고, 마이크는 한국 여행을 위해 환전소에 왔습니다. 물음에 답하세요.

(1) 18000원을 15달러로 바꿀 수 있다면 1달러에 대한 우리나라 돈의 환율은 몇 원인지 구해 보세요.

( )

(2) 진수가 50달러가 필요하다면 우리나라 돈으로 얼마를 내야 하는지 구해 보세요.

( )

(3) 마이크가 달러를 환전하여 96000원을 받았다면 몇 달러를 냈는지 구해 보세요.

( )

Memo

14~15쪽 → 위에서 본 모양에 붙이세요.

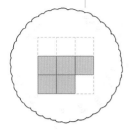 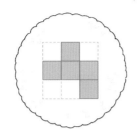 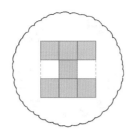 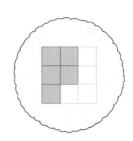 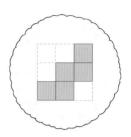

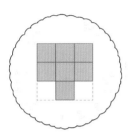 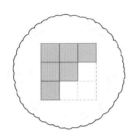 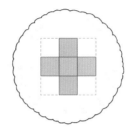 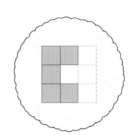 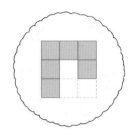

→ 앞에서 본 모양에 붙이세요.

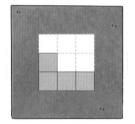 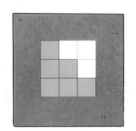 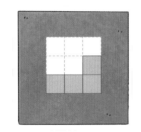 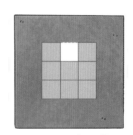 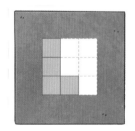

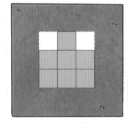 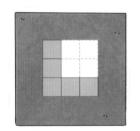 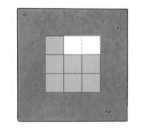 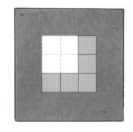 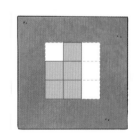

→ 옆에서 본 모양에 붙이세요.

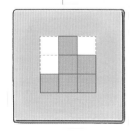 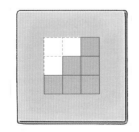 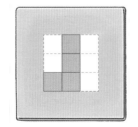 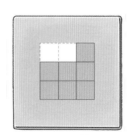 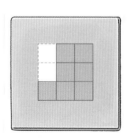

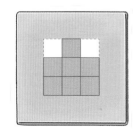 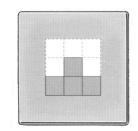 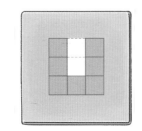 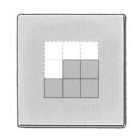 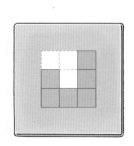

16~17쪽

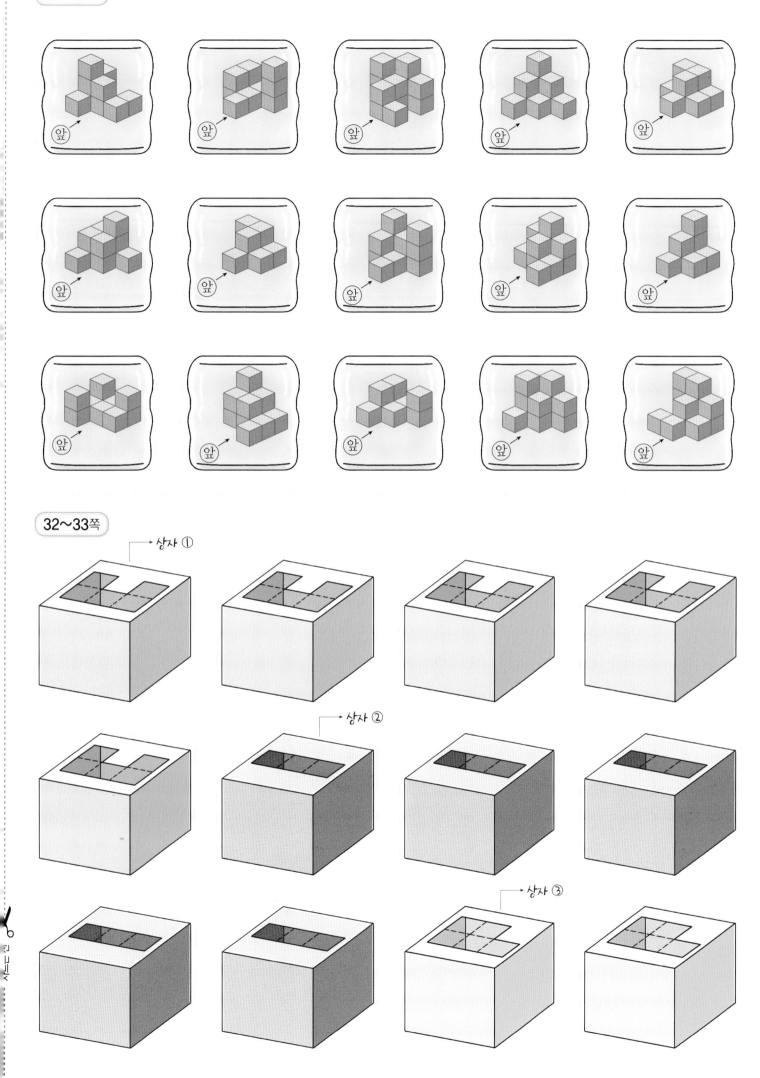

32~33쪽

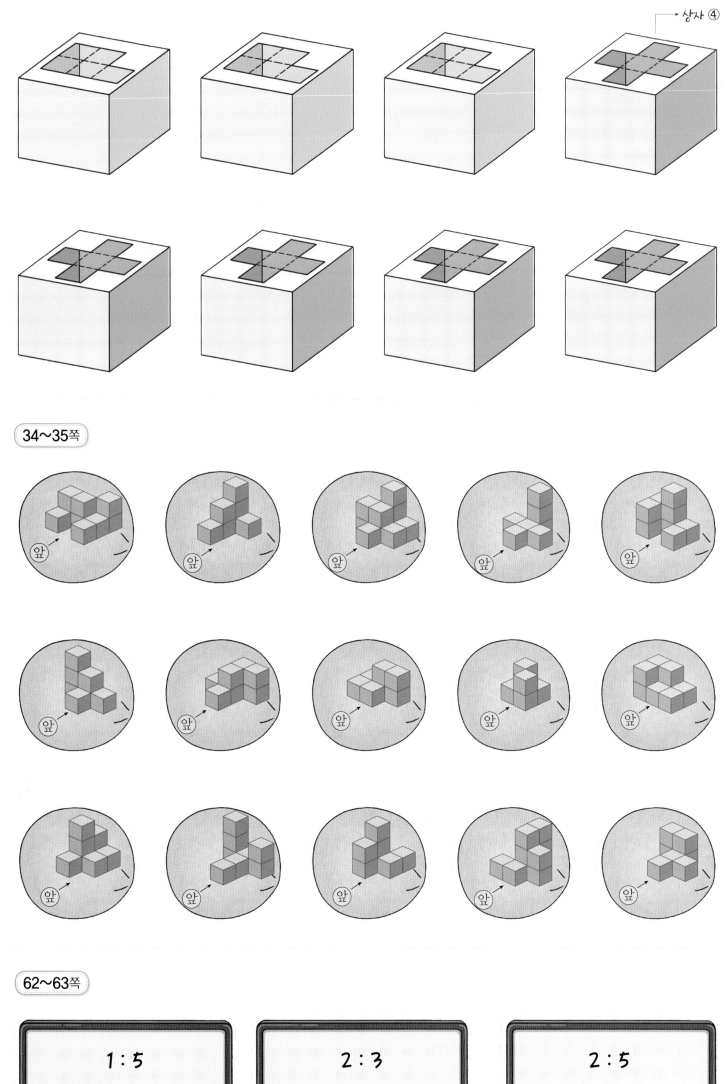

상자 ④

34~35쪽

62~63쪽

1 : 5

2 : 3

2 : 5

| 4 : 5 | 4 : 7 | 4 : 9 |

| 5 : 3 | 5 : 7 | 7 : 5 |

| 7 : 6 | 7 : 8 | 9 : 14 |

64~65쪽

| 10 g | 16 g | 20 g | 24 g | 27 g | 28 g |

| 30 g | 40 g | 42 g | 48 g | 48 g | 55 g | 56 g |

| 56 g | 63 g | 64 g | 66 g | 75 g | 80 g | 98 g |

80~81쪽

| 8상자 | 9상자 | 24상자 | 30상자 |

| 12상자 | 16상자 | 18상자 | 24상자 |

82~83쪽

| 30 g | 50 g | 24 g | 36 g | 36 g | 45 g | 60 g | 84 g |

| 52 g | 91 g | 33 g | 88 g | 80 g | 128 g | 45 g | 60 g |

Go!
마쓰

GO!

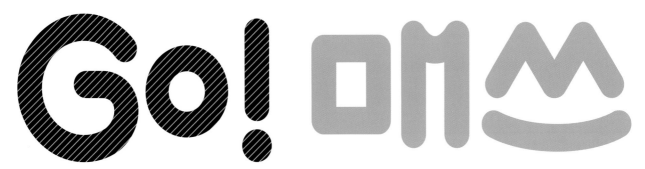

교과서 GO! 사고력 GO!

GO! 매쓰

Run-B

교과서 사고력

GO!

정답과 풀이　수학 6-2

열심히
풀었으니까,
한 번 맞춰 볼까?

3 공간과 입체

단원과 관련된 발상 이야기를 살펴보아요.

여러 가지 방향에서 촬영하기

태권도 선수를 여러 가지 방향에서 촬영하고 있습니다.
왜 그럴까요? 그 이유는 촬영하는 방향에 따라 선수의 모습이 달라지기 때문에 여러 가지 방향에서 촬영하고
방송에는 선수의 모습을 가장 잘 나타내는 영상을 내보내는 것입니다.
여러 가지 방향에서 촬영한 모습을 알아봅시다.

- 가는 발차기의 방향과 일치하는 곳에서 촬영해야 하기 때문에 1번 카메라에서 촬영한 장면입니다.
- 나는 정면 모습이므로 2번 카메라에서 촬영한 장면입니다.
- 다는 선수의 얼굴이 보이지 않으며 카메라가 같이 나와야 하기 때문에 3번 카메라에서 촬영한 장면입니다.
- 라는 발이 가장 크게 나오고 있으므로 4번 카메라에서 촬영한 장면입니다.
→ 같은 모습을 촬영했어도 촬영한 방향에 따라 여러 가지 모습이 나오는 것을 알 수 있습니다.

여러 가지 방향에 따라 달라지는 모습을 알아본 후, 쌓기나무의 개수 구하기와 평면도형을 이동하는 방법을 복습해 봅시다.

모형 성의 사진을 찍었습니다. 각 사진을 찍은 위치를 찾아 기호를 써 보세요.

(다) (가) (나)

✿ ㉠ 창문이 보이므로 다에서 찍은 사진입니다.
ㄴ 지붕 모양이 한가운데에 보이므로 가에서 찍은 사진입니다.
ㄷ 성문이 보이므로 나에서 찍은 사진입니다.

주어진 모양과 똑같이 쌓는 데 필요한 쌓기나무의 개수를 구해 보세요.

(1)   (2)

(7개)   (8개)

✿ (1) 1층에 6개, 2층에 1개입니다. ➡ 7개
(2) 1층에 6개, 2층에 2개입니다. ➡ 8개

도형을 시계 방향으로 90°만큼 돌리고 오른쪽으로 뒤집었을 때의 모양을 각각 그려 보세요.

✿ 도형을 시계 방향으로 90°만큼 돌리면 도형의 위쪽이 오른쪽으로 이동합니다.
도형을 오른쪽으로 뒤집으면 도형의 오른쪽과 왼쪽이 서로 바뀝니다.

---

1 단계 교과서 개념 잡기

개념 확인 문제

정답과 풀이 p.1

개념 1 어느 방향에서 보는지 알아보기

- 각 사진은 누가 찍은 것인지 알아보기

사진을 찍는 위치에 따라 보이는 대상과 모양이 달라질 수 있습니다.

근우   안나   진호(드론)   지현

강아지의 옆모습이 보입니다. 강아지의 뒷모습이 보입니다. 조각의 윗부분이 보입니다. 강아지가 보이지 않습니다.

개념 2 쌓은 모양과 쌓기나무의 개수 알아보기(1)

- 쌓은 모양과 위에서 본 모양을 보고 쌓기나무의 개수 구하기
(1) 쌓은 모양에 보이는 위의 면들과 위에서 본 모양이 같은 경우
→ 쌓은 모양과 쌓기나무의 개수가 1가지입니다.

위에서 본 모양

위에서 본 모양의 각 자리 중 쌓은 모양에서 보이지 않는 부분이 없습니다. 1층에 4개, 2층에 4개, 3층에 4개이므로 모두 12개입니다.

(2) 쌓은 모양에 보이는 위의 면들과 위에서 본 모양이 다른 경우
→ 쌓은 모양과 쌓기나무의 개수가 여러 가지 있을 수 있습니다.

뒷 계이지 보이지 않는 부분이

위에서 본 모양

위에서 본 모양의 각 자리 중 쌓은 모양에서 보이지 않는 부분이 있습니다. 1층에 4개, 2층에 3개 또는 4개, 3층에 3개이므로 모두 10개 또는 11개입니다.

---

1 여러 가지 방향에서 눈사람 사진을 찍었습니다. 각 사진은 어느 카메라로 찍은 것인지 찾아 기호를 써 보세요.

(다) (라)

✿ ㉠ 나뭇가지로 된 팔이 보이지 않으므로 카메라 다로 찍은 것입니다.
ㄴ 앞쪽에서 본 것과 왼쪽, 오른쪽이 바뀌어 보이므로 카메라 라로 찍은 것입니다.

2-1 쌓기나무로 쌓은 모양을 보고 위에서 본 모양을 그렸습니다. 관계있는 것끼리 선으로 이어 보세요.

✿ ㉠ 1층이 위에서부터 3개, 1개, 1개가 연결된 모양입니다.
ㄴ 1층이 위에서부터 2개, 3개, 1개가 연결된 모양입니다.
ㄷ 1층이 위에서부터 2개, 3개, 2개가 연결된 모양입니다.
ㄹ 1층이 위에서부터 1개, 2개, 3개가 연결된 모양입니다.

2-2 주어진 모양과 똑같이 쌓는 데 필요한 쌓기나무의 개수를 구해 보세요.

(1)   (2)

위에서 본 모양   위에서 본 모양

보이지 않는 부분에 쌓기나무가 1개 있습니다.

(10개)   (11개)

✿ (1) 1층에 6개, 2층에 3개, 3층에 1개 ➡ 10개
(2) 1층에 6개, 2층에 4개, 3층에 1개 ➡ 11개

1주 교과서

단계 1 교과서 개념 잡기

개념 3 쌓은 모양과 쌓기나무의 개수 알아보기 (2)

• 쌓기나무로 쌓은 모양을 보고, 위, 앞, 옆에서 본 모양 그리기

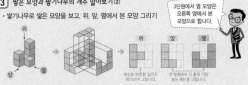

> 3단원에서 옆 모양은 오른쪽 옆에서 본 모양으로 합니다.

• 쌓은 모양을 위에서 본 모양은 1층의 모양과 같습니다.
• 쌓은 모양을 앞과 옆에서 본 모양은 각 방향에서 각 줄의 가장 높은 층의 모양과 같습니다.

• 위, 앞, 옆에서 본 모양을 보고, 쌓은 모양 알아보고 쌓기나무의 개수 구하기

① 위에서 본 모양을 보고 1층 쌓기

② 앞에서 본 모양은 왼쪽에서부터 2층, 3층, 2층

③ 옆에서 본 모양은 왼쪽에서부터 1층, 2층, 3층

④ 완성된 모양 → 1가지

(10개)

참고
• 위, 앞, 옆에서 본 모양이 같더라도 쌓은 모양은 다를 수 있습니다.

 →

(6개) (7개) (8개)

8 · Run - Ⓑ 6-2

개념 확인 문제

3-1 쌓기나무로 쌓은 모양과 위에서 본 모양입니다. 앞에서 본 모양을 그려 보세요.

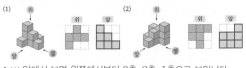

❖ (1) 앞에서 보면 왼쪽에서부터 3층, 2층, 1층으로 보입니다.
(2) 앞에서 보면 왼쪽에서부터 2층, 2층, 3층으로 보입니다.

3-2 쌓기나무로 쌓은 모양과 위에서 본 모양입니다. 옆에서 본 모양을 그려 보세요.

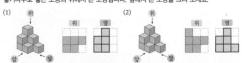

❖ (1) 위에서 본 모양을 보면 뒤에 보이지 않는 쌓기나무가 없습니다.
옆에서 보면 왼쪽에서부터 2층, 3층으로 보입니다.
(2) 위에서 본 모양을 보면 뒤에 보이지 않는 쌓기나무가 1개 있습니다.
옆에서 보면 왼쪽에서부터 2층, 3층, 1층으로 보입니다.

3-3 쌓기나무로 쌓은 모양을 위, 앞, 옆에서 본 모양입니다. 물음에 답하세요.

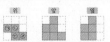

(1) 앞에서 본 모양을 보면 ㉠ 부분과 ㉣ 부분은 쌓기나무가 각각 **2**개, **1**개입니다.
옆에서 본 모양을 보면 ㉡ 부분과 ㉢ 부분은 쌓기나무가 각각 **3**개, **2**개입니다.

(2) 쌓은 모양으로 알맞은 것에 ○표 하고, 필요한 쌓기나무의 개수를 구해 보세요.

( ) ( ) (○)

(**8개**)

❖ 1층에 4개, 2층에 3개, 3층에 1개 → 8개

3. 공간과 입체 · 9

단계 1 교과서 개념 잡기

개념 4 쌓은 모양과 쌓기나무의 개수 알아보기 (3)

• 쌓기나무로 쌓은 모양을 위에서 본 모양에 수를 쓰는 방법으로 나타내기

위에서 본 모양의 각 자리에 쌓기나무가 각각 몇 개씩 쌓여 있는지 알아보면 ㉠ 2개, ㉡ 3개, ㉢ 1개, ㉣ 1개, ㉤ 2개입니다.

위에서 본 모양의 각 자리에 쌓은 쌓기나무의 개수를 쓰면 왼쪽과 같습니다. 따라서 똑같은 모양으로 쌓는 데 필요한 쌓기나무는 2+3+1+1+2=9(개)입니다.

구의
• 위에서 본 모양에 수를 쓸 때에는 모든 칸에 알맞은 수를 써야 합니다.

• 위에서 본 모양에 수를 쓴 것을 보고 앞과 옆에서 본 모양 그리기

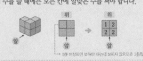

• 위에서 본 모양에 수를 쓴 것을 보고 쌓은 모양 만들기

① 위에서 본 모양에 맞게 1층 쌓기

② 개수에 맞게 쌓기나무 쌓기

참고
위에서 본 모양에 수를 쓴 것을 보고 만든 쌓기나무의 모양은 한 가지만 나옵니다.

10 · Run - Ⓑ 6-2

개념 확인 문제

2층 이상이면 보여야 하는데 보이지 않으므로 1층입니다.

4-1 쌓기나무로 쌓은 모양을 보고 위에서 본 모양의 각 자리에 수를 써넣으세요.

❖ 위에서 본 모양의 각 자리에 쌓인 쌓기나무의 개수를 세어 위에서 본 모양에 수를 씁니다.

4-2 쌓기나무로 쌓은 모양을 보고 위에서 본 모양에 수를 썼습니다. 똑같은 모양으로 쌓는 데 필요한 쌓기나무의 개수를 구해 보세요.

(**12개**) (**13개**)

❖ (1) 각 자리에 쌓인 쌓기나무의 개수를 모두 더합니다.
→ 3+2+1+2+1+3=12(개)
(2) 2+1+3+1+3+1+2=13(개)

4-3 쌓기나무로 쌓은 모양을 보고 위에서 본 모양에 수를 썼습니다. 앞에서 본 모양을 그려 보세요.

❖ (1) 앞에서 보면 왼쪽에서부터 3층, 2층, 2층으로 보입니다.
(2) 앞에서 보면 왼쪽에서부터 2층, 3층, 1층으로 보입니다.

4-4 쌓기나무로 쌓은 모양을 보고 위에서 본 모양에 수를 썼습니다. 옆에서 본 모양을 그려 보세요.

❖ (1) 옆에서 보면 왼쪽에서부터 1층, 3층, 2층으로 보입니다.
(2) 옆에서 보면 왼쪽에서부터 3층, 1층, 2층으로 보입니다.

3. 공간과 입체 · 11

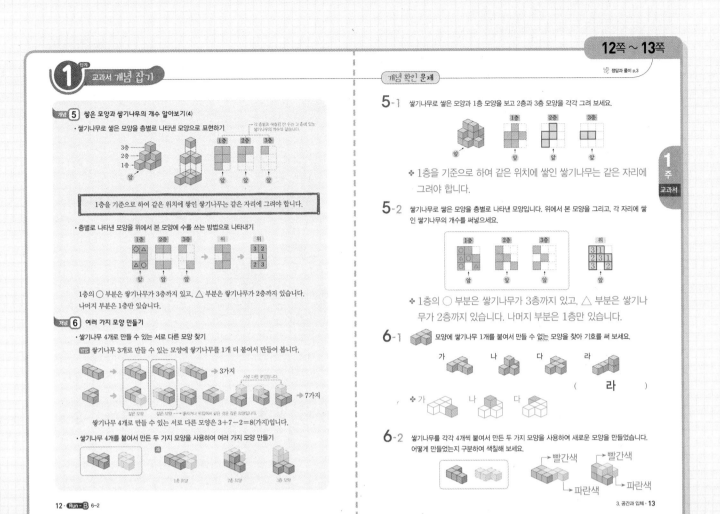

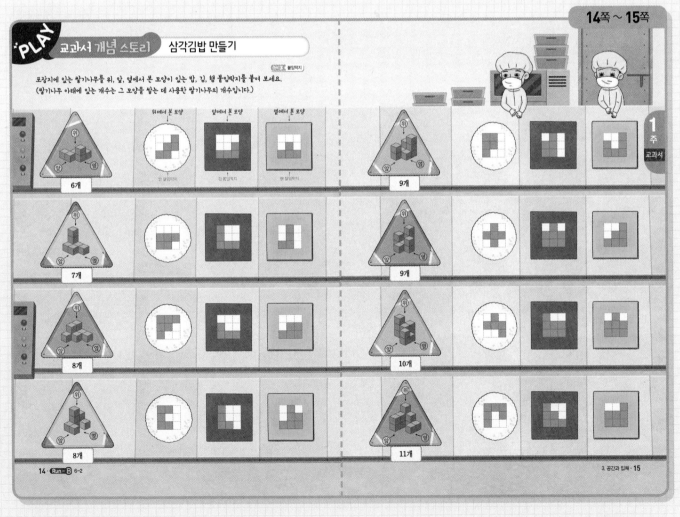

PLAY 교과서 개념 스토리 물통 채우기

정수기에 있는 위에서 본 모양에 수를 쓴 것을 보고 알맞은 쌓기나무 모양이 있는 물통 붙임딱지를 붙여 보세요.

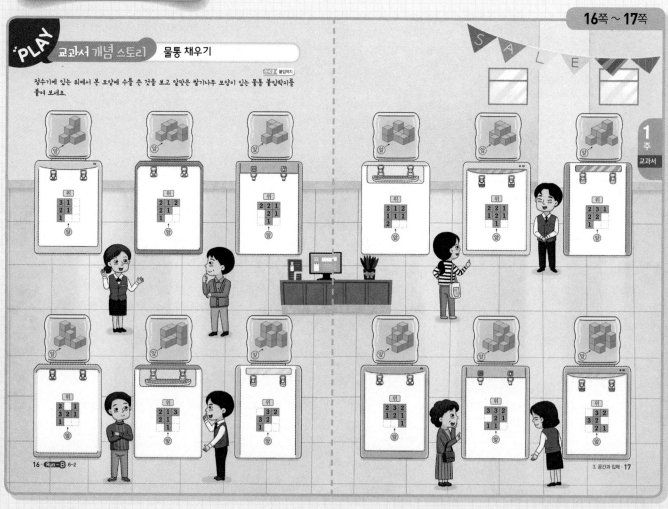

16 · Run- Ⓑ 6-2

3. 공간과 입체 · 17

---

2 단계 교과서 개념 다지기

정답과 풀이 p.4

개념 1 어느 방향에서 찍은 것인지 알아보기

01 보기와 같이 컵을 놓았을 때 찍을 수 없는 사진을 찾아 기호를 써 보세요.

✦ ㉲의 컵 순서대로 찍을 수 있는 사진이 되려면 ★ 방향에서 찍은 것이므로 빨간색 컵의 손잡이가 보여야 합니다.

02 공원에 있는 조형물 사진을 찍었습니다. 각 사진을 찍은 위치를 찾아 기호를 써 보세요.

(**다**)(**라**)

✦ ㉠ 초록색 공이 가운데 있고, 빨간색 공이 왼쪽, 노란색 공이 오른쪽에 있습니다. ➡ 다
㉡ 빨간색 공이 보이지 않고, 초록색 공이 왼쪽, 노란색 공이 오른쪽에 있습니다. ➡ 라

03 배를 타고 여러 방향에서 사진을 찍었습니다. 각 사진은 어느 배에서 찍은 것인지 찾아 기호를 써 보세요.

(**마**)(**나**)(**다**)(**가**)

✦ ㉠ 자동차가 오른쪽에 있으므로 마에서 찍은 사진입니다.
㉡ 자동차가 나무와 집 사이에 있으므로 나에서 찍은 사진입니다.
㉢ 자동차가 집에 가려 보이지 않으므로 다에서 찍은 사진입니다.
㉣ 자동차가 왼쪽에 있으므로 가에서 찍은 사진입니다.

개념 2 쌓은 모양과 쌓기나무의 개수 알아보기 (1)

04 쌓기나무를 보기와 같은 모양으로 쌓았습니다. 돌렸을 때 보기와 같은 모양을 만들 수 없는 것을 찾아 기호를 써 보세요.

(**다**)

✦ 다는 돌렸을 때 1층에 있는 쌓기나무가 모두 숨겨지지 않습니다.

05 다음과 같이 쌓기나무를 쌓으면 쌓은 쌓기나무의 개수를 정확하게 알 수 없습니다. 그 이유를 써 보세요.

이유 **예) 뒤에 보이지 않는 부분에 쌓기나무가 있는지 없는지 알 수 없기 때문입니다.**

06 주어진 모양과 똑같이 쌓는 데 필요한 쌓기나무의 개수를 구해 보세요.

(1) 위에서 본 모양
(2) 위에서 본 모양

보이지 않는 부분에 쌓기나무가 1개 있습니다.

(**10개**) (**12개**)

✦ (1) 1층에 6개, 2층에 3개, 3층에 1개 ➡ 10개
(2) 1층에 6개, 2층에 4개, 3층에 2개 ➡ 12개

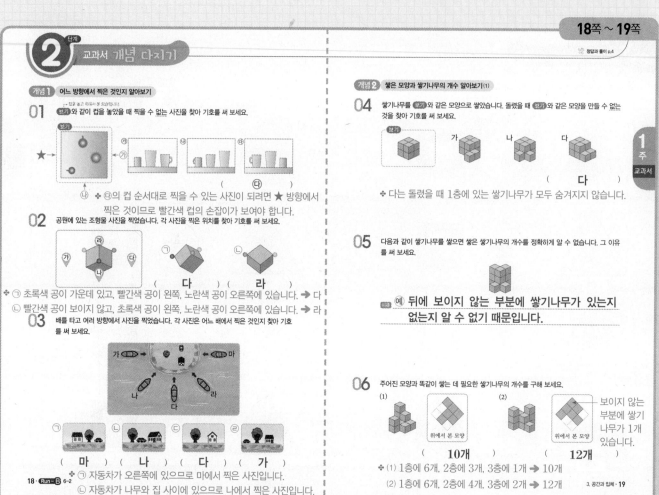

18 · Run- Ⓑ 6-2

3. 공간과 입체 · 19

정답과 풀이 p.5

개념 3 쌓은 모양과 쌓기나무의 개수 알아보기(2)

07 쌓기나무로 쌓은 모양과 위에서 본 모양입니다. 앞과 옆에서 본 모양을 각각 그려 보세요.

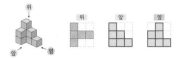

❖ • 앞에서 보면 왼쪽에서부터 3층, 2층, 1층으로 보입니다.
  • 위에서 본 모양을 보면 뒤에 보이지 않는 쌓기나무가 1개 있습니다.
    따라서 옆에서 보면 왼쪽에서부터 2층, 3층, 1층으로 보입니다.

08 쌓기나무로 쌓은 모양을 위, 앞, 옆에서 본 모양입니다. 똑같은 모양으로 쌓는 데 필요한 쌓기나무의 개수를 구해 보세요.

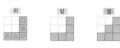

(**8개**)

❖ 위에서 본 모양을 보면 1층은 5개, 앞에서 본 모양을 보면 △ 부분은 1개,
  옆에서 본 모양을 보면 ♡, ☆, ○ 부분은 각각 1개, 2개, 3개입니다.
  따라서 1층에 5개, 2층에 2개, 3층에 1개이므로 8개입니다.

09 쌓기나무로 쌓은 모양을 위, 앞, 옆에서 본 모양입니다. 쌓은 모양으로 가능한 모양을 찾아 기호를 써 보세요.

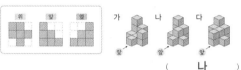

(**나**)

❖ 가를 앞에서 본 모양   다를 옆에서 본 모양

20 · Run - **B** 6-2

2층 이상이면 보여야 하는데
보이지 않으므로 1층입니다.

개념 4 쌓은 모양과 쌓기나무의 개수 알아보기(3)

10 쌓기나무로 쌓은 모양을 보고 위에서 본 모양의 각 자리에 수를 써넣으세요.

(1)  (2)

❖ 위에서 본 모양의 각 자리에 쌓인 쌓기나무의 개수를 세어
  위에서 본 모양에 수를 씁니다.

11 쌓기나무를 쌓은 모양을 보고 위에서 본 모양에 수를 썼습니다. 앞과 옆에서 본 모양을 각각 그려 보세요.

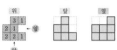

❖ 각 줄의 가장 높은 층만큼 그립니다.

12 쌓기나무로 쌓은 모양을 보고 위에서 본 모양에 수를 썼습니다. 관계있는 것끼리 선으로 이어 보세요.

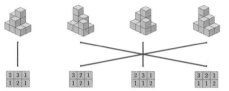

❖ 위에서 본 모양이 서로 같은 쌓기나무입니다. 위에서 본 모양의
  각 자리에 쌓인 쌓기나무의 개수를 세어서 비교합니다. 3. 공간과 입체 · 21

1주 교과서

정답과 풀이 p.5

개념 5 쌓은 모양과 쌓기나무의 개수 알아보기(4)

13 쌓기나무로 쌓은 모양과 1층 모양을 보고 2층과 3층 모양을 각각 그려 보세요.

❖ 1층을 기준으로 하여 같은 위치에 쌓인 쌓기나무는, 같은 자리에
  그려야 합니다.

14 쌓기나무로 쌓은 모양을 층별로 나타낸 모양을 보고 쌓은 모양을 찾아 기호를 써 보세요.

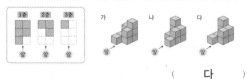

(**다**)

❖ 1층 모양으로 쌓은 모양을 찾으면 가와 다입니다.
  가는 3층 모양이 주어진 모양과 다릅니다.

15 쌓기나무로 쌓은 모양을 층별로 나타낸 모양입니다. 위에서 본 모양을 그리고, 각 자리에 쌓인 쌓기나무의 개수를 써넣으세요.

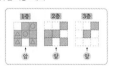

❖ 1층의 ○ 부분은 쌓기나무가 3층까지 있고, △ 부분은 쌓기
나무가 2층까지 있습니다. 나머지 부분은 1층만 있습니다.

22 · Run - **B** 6-2

개념 6 여러 가지 모양 만들기

16 ⬚ 모양에 쌓기나무 1개를 더 붙여서 만들 수 없는 모양을 찾아 기호를 써 보세요.

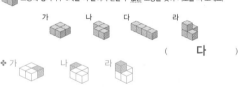

(**다**)

❖ 가 나 라

17 ⬚ 모양에 쌓기나무 1개를 더 붙여서 만들 수 있는 서로 다른 모양은 모두 몇 가지인지 구해 보세요. (단, 돌리거나 뒤집어서 같은 모양인 것은 1가지로 생각합니다.)

(**3가지**)

❖

18 쌓기나무를 각각 4개씩 붙여서 만든 두 가지 모양을 사용하여 새로운 모양을 만들었습니다. 사용한 두 가지 모양을 보기 에서 찾아 기호를 써 보세요.

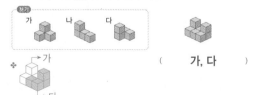

(**가, 다**)

❖ 가 다

19 쌓기나무를 각각 4개씩 붙여서 만든 두 가지 모양을 사용하여 새로운 모양을 만들었습니다. 어떻게 만들었는지 구분하여 색칠해 보세요.

파란색 파란색

빨간색 빨간색

3. 공간과 입체 · 23

1주 교과서

✤ (전체 쌓기나무의 개수)=3+2+2+1+3+2+1+1
=15(개)

앞에서 보면 왼쪽에서부터 3층, 2층, 3층으로 보이므로
3+2+3=8(개)가 보입니다.

🔖 정답과 풀이 p.6

따라서 앞에서 볼 때 보이지 않는 쌓기나무는 15-8=7(개)입니다.

3 단계 교과서 실력 다지기

★ 층별로 나타낸 모양을 보고 앞(옆)에서 본 모양 그리기

1 쌓기나무로 쌓은 모양을 층별로 나타낸 모양입니다. 앞에서 본 모양을 그려 보세요.

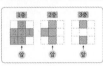

> 개념 핸드북 ① 1층 모양의 각 자리에 쌓인 쌓기나무의 개수를 알아봅니다.
> ② 각 줄의 가장 높은 층만큼 그립니다.

✤ 앞에서 보면 왼쪽에서부터 2층, 3층, 1층으로 보입니다.

1-1 쌓기나무로 쌓은 모양을 층별로 나타낸 모양입니다. 앞에서 본 모양을 그려 보세요.

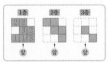

✤ 앞에서 보면 왼쪽에서부터 2층, 3층, 3층으로 보입니다.

1-2 쌓기나무로 쌓은 모양을 층별로 나타낸 모양입니다. 옆에서 본 모양을 그려 보세요.

✤ 옆에서 보면 왼쪽에서부터 3층, 2층, 3층으로 보입니다.

24 · Run - B 6-2

★ 앞(옆)에서 볼 때 보이지 않는 쌓기나무의 개수 구하기

2 쌓기나무로 쌓은 모양을 보고 위에서 본 모양에 수를 썼습니다. 앞에서 볼 때 보이지 않는 쌓기나무의 개수를 구해 보세요.

답 **7개**

> 개념 핸드북 ① 전체 쌓기나무의 개수를 구합니다.
> ② 앞에서 볼 때 보이는 쌓기나무의 개수를 구합니다.
> ③ ①과 ②의 차를 구합니다.

2-1 쌓기나무로 쌓은 모양을 보고 위에서 본 모양에 수를 썼습니다. 앞에서 볼 때 보이지 않는 쌓기나무의 개수를 구해 보세요.

✤ (전체 쌓기나무의 개수)
=1+3+3+1+2+3+2+2
=17(개)

앞에서 보면 왼쪽에서부터 1층, 3층, 3층으로 보이므로
1+3+3=7(개)가 보입니다.

(**10개**)

따라서 앞에서 볼 때 보이지 않는 쌓기나무는 17-7=10(개)입니다.

2-2 쌓기나무로 쌓은 모양을 보고 위에서 본 모양에 수를 썼습니다. 옆에서 볼 때 보이지 않는 쌓기나무의 개수를 구해 보세요.

(**9개**)

✤ (전체 쌓기나무의 개수)=2+3+1+3+2+2+3+2=18(개)
옆에서 보면 왼쪽에서부터 3층, 3층, 3층으로 보이므로 3+3+3=9(개)가 보입니다.
따라서 옆에서 볼 때 보이지 않는 쌓기나무는 18-9=9(개)입니다.

3. 공간과 입체 · 25

✤ 가로, 세로, 높이에 쌓기나무를 각각 3개, 2개, 2개씩
쌓으면 가장 작은 직육면체가 되므로 3×2×2=12(개)
가 있어야 합니다.

🔖 정답과 풀이 p.6

(쌓은 쌓기나무의 개수)=2+2+1+1+2=8(개) ➡ 12-8=4(개)

3 단계 교과서 실력 다지기

★ 사용한 쌓기나무의 개수 구하기

3 주어진 모양과 똑같이 쌓는 데 최대한 많은 쌓기나무를 사용했습니다. 사용한 쌓기나무의 개수를 구해 보세요.

위에서 본 모양

✤ 위에서 본 모양의 각 자리
중 쌓은 모양에서 보이지
않는 부분에는 바로 앞의
층수보다 1만큼 작은 층수까지 쌓을 수 있습니다.
➡ 1+1+3+2+2+2=11(개)

답 **11개**

> 개념 핸드북 ① 위에서 본 모양의 각 자리 중 쌓은 모양에서 보이지 않는 부분에는 쌓기나무가 몇 개까지 놓일 수 있는지 알아봅니다.
> ② 각 자리에 쌓인 쌓기나무의 개수를 모두 더합니다.

3-1 주어진 모양과 똑같이 쌓는 데 최대한 많은 쌓기나무를 사용합니다. 사용한 쌓기나무의 개수를 구해 보세요.

위에서 본 모양

✤ 위에서 본 모양의 각 자리 중
쌓은 모양에서 보이지 않는
부분에는 바로 앞의 층수보다
1만큼 작은 층수까지 쌓을 수 있습니다.
➡ 2+1+3+3+2+2+1=14(개)

(**14개**)

3-2 주어진 모양과 똑같이 쌓는 데 최대한 많은 쌓기나무를 사용했습니다. 사용한 쌓기나무의 개수를 구해 보세요.

위에서 본 모양

✤ 위에서 본 모양의 각 자리 중
쌓은 모양에서 보이지 않는
부분에는 바로 앞의 층수보다
1만큼 작은 층수까지 쌓을 수 있습니다.
➡ 1+2+1+2+2+3+2+1=14(개)

(**14개**)

26 · Run - B 6-2

★ 가장 작은 직육면체 모양 만들기

4 다음 모양에 쌓기나무를 더 쌓아 가장 작은 직육면체 모양을 만들려고 합니다. 쌓기나무는 몇 개 더 필요한지 구해 보세요.

위에서 본 모양

답 **4개**

> 개념 핸드북 ① 가장 작은 직육면체가 되려면 쌓기나무가 몇 개 있어야 되는지 알아봅니다.
> ② 쌓은 쌓기나무의 개수를 구합니다.
> ③ ①-②를 계산합니다.

4-1 다음 모양에 쌓기나무를 더 쌓아 가장 작은 직육면체 모양을 만들려고 합니다. 쌓기나무는 몇 개 더 필요한지 구해 보세요.

위에서 본 모양

✤ 가로, 세로, 높이에 쌓기나무를
각각 2개, 3개, 3개씩 쌓으면
가장 작은 직육면체가 되므로
2×3×3=18(개)가 있어야 합니다.

(**9개**)

(쌓은 쌓기나무의 개수)=2+3+2+1+1=9(개) ➡ 18-9=9(개)

4-2 다음 모양에 쌓기나무를 더 쌓아 가장 작은 직육면체 모양을 만들려고 합니다. 쌓기나무는 몇 개 더 필요한지 구해 보세요.

위에서 본 모양

(**18개**)

✤ 가로, 세로, 높이에 쌓기나무를 각각 3개, 3개, 3개씩 쌓으면 가장 작은 직육면체
가 되므로 3×3×3=27(개)가 있어야 합니다.

(쌓은 쌓기나무의 개수)=3+2+1+1+2=9(개) ➡ 27-9=18(개)

3. 공간과 입체 · 27

③ 교과서 실력 다지기

정답과 풀이 p.7

★ 빼낸 쌓기나무의 개수 구하기

5 왼쪽과 같은 정육면체 모양에서 쌓기나무 몇 개를 빼내었더니 오른쪽과 같은 모양이 되었습니다. 빼낸 쌓기나무의 개수를 구해 보세요.

답 **17개**

개념 피드백
① 처음 쌓기나무의 개수를 구합니다.
② 남은 쌓기나무의 개수를 구합니다.
③ ①-②을 계산합니다.

❖ (처음 쌓기나무의 개수)=3×3×3=27(개)
남은 쌓기나무는 1층에 6개, 2층에 3개, 3층에 1개이므로 10개입니다.
➡ 27-10=17(개)

5-1 왼쪽과 같은 정육면체 모양에서 쌓기나무 몇 개를 빼내었더니 오른쪽과 같은 모양이 되었습니다. 빼낸 쌓기나무의 개수를 구해 보세요.

(**16개**)

❖ (처음 쌓기나무의 개수)=3×3×3=27(개)
남은 쌓기나무는 1층에 7개, 2층에 3개, 3층에 1개이므로 11개입니다.
➡ 27-11=16(개)

5-2 왼쪽과 같은 정육면체 모양에서 쌓기나무 몇 개를 빼내었더니 오른쪽과 같은 모양이 되었습니다. 빼낸 쌓기나무의 개수를 구해 보세요.

(**47개**)

❖ (처음 쌓기나무의 개수)=4×4×4=64(개)
남은 쌓기나무는 1층에 10개, 2층에 6개, 3층에 1개이므로 17개입니다.

➡ 64-17=47(개)

★ 필요한 쌓기나무의 개수가 가장 많을 때와 가장 적을 때

6 쌓기나무로 쌓은 모양을 위, 앞, 옆에서 본 모양입니다. 쌓기나무를 가장 많이 사용했을 때와 가장 적게 사용했을 때의 쌓기나무의 개수의 차를 구해 보세요.

위 앞 옆

답 **1개**

개념 피드백
① 위에서 본 모양의 각 자리에 가장 많이 쌓을 수 있는 경우를 알아봅니다.
② 위에서 본 모양의 각 자리에 가장 적게 쌓을 수 있는 경우를 알아봅니다.
③ ①-②을 계산합니다.

❖ · 가장 많이 사용했을 때

1	1	
3	2	1
	2	1

(쌓기나무의 개수)=11개

· 가장 적게 사용했을 때

1	1	
3	1	1
	2	1

(쌓기나무의 개수)=10개

➡ 11-10=1(개)

6-1 쌓기나무로 쌓은 모양을 위, 앞, 옆에서 본 모양입니다. 쌓기나무를 가장 많이 사용했을 때와 가장 적게 사용했을 때의 쌓기나무의 개수의 차를 구해 보세요.

위 앞 옆

(**1개**)

❖ · 가장 많이 사용했을 때

	1	3
2	1	2

(쌓기나무의 개수)=11개

· 가장 적게 사용했을 때

	1	3
2	1	1
1		

(쌓기나무의 개수)=10개

➡ 11-10=1(개)

6-2 쌓기나무로 쌓은 모양을 위, 앞, 옆에서 본 모양입니다. 쌓기나무를 가장 많이 사용했을 때와 가장 적게 사용했을 때의 쌓기나무의 개수의 차를 구해 보세요.

위 앞 옆

(**2개**)

❖ · 가장 많이 사용했을 때

1	3	3
	1	2
1		

(쌓기나무의 개수)=14개

· 가장 적게 사용했을 때

1	3	1
	1	3
1		2

(쌓기나무의 개수)=12개

➡ 14-12=2(개)

Test 교과서 서술형 연습

정답과 풀이 p.7

1 쌓기나무 15개 중 몇 개를 사용해서 각 층의 모양이 다음과 같은 모양을 만들었습니다. 남은 쌓기나무의 개수를 구해 보세요.

1층 2층 3층

앞 앞 앞

✏ 구하려는 것, 주어진 것에 선을 그어 봅니다.

해결하기 사용한 쌓기나무는 1층에 **6** 개, 2층에 **4** 개, 3층에 **2** 개이므로 모두 **12** 개입니다. 따라서 남은 쌓기나무는 15-**12**=**3** 개입니다.

답 구하기 **3개**

2 쌓기나무 20개 중 몇 개를 사용해서 각 층의 모양이 다음과 같은 모양을 만들었습니다. 남은 쌓기나무의 개수를 구해 보세요. → 주어진 것
→ 구하려는 것

1층 2층 3층
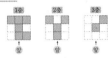
앞 앞 앞

✏ 구하려는 것, 주어진 것에 선을 그어 봅니다.

해결하기 (예) 사용한 쌓기나무는 1층에 7개, 2층에 5개, 3층에 3개이므로 모두 15개입니다.
따라서 남은 쌓기나무는 20-15=5(개)입니다.

답 구하기 **5개**

3 쌓기나무로 쌓은 모양을 보고 위에서 본 모양에 수를 썼습니다. 2층과 3층에 쌓인 쌓기나무는 모두 몇 개인지 구해 보세요.

위
3	1	2
2	2	3
1	3	1

✏ 구하려는 것, 주어진 것에 선을 그어 봅니다.

해결하기 2층에 쌓인 쌓기나무는 **2** 이상의 수가 써 있는 칸 ➡ **7** 개
3층에 쌓인 쌓기나무는 **3** 이상의 수가 써 있는 칸 ➡ **4** 개
따라서 모두 **7**+**4**=**11** 개입니다.

답 구하기 **11개**

4 쌓기나무로 쌓은 모양을 보고 위에서 본 모양에 수를 썼습니다. 2층과 3층에 쌓인 쌓기나무는 모두 몇 개인지 구해 보세요. → 주어진 것
→ 구하려는 것

위
3	2	1
2	3	3
3	1	2

✏ 구하려는 것, 주어진 것에 선을 그어 봅니다.

해결하기 (예) 2층에 쌓인 쌓기나무는 2 이상의 수가 써 있는 칸 ➡ 8개
3층에 쌓인 쌓기나무는 3 이상의 수가 써 있는 칸 ➡ 5개
따라서 모두 8+5=13(개)입니다.

답 구하기 **13개**

PLAY 사고력 개념 스토리 상자 안에 쌓기나무 넣기

마법의 성 안에 쌓기나무가 살아 움직이고 있습니다. 마법사가 쌓기나무를 모두 상자 안에 넣어 달라고 부탁했습니다. 쌓기나무를 넣을 수 있는 상자 붙임딱지를 1개씩만 붙여 보세요.
(단, 각 쌓기나무 모양에서 보이지 않는 부분에 쌓기나무는 없습니다.)

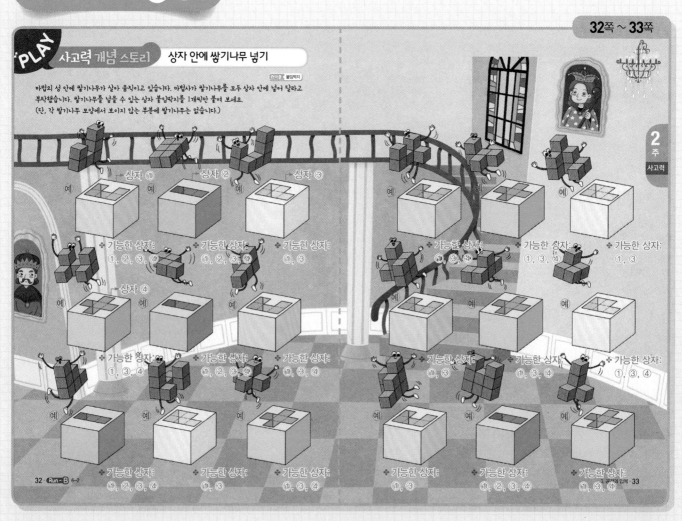

PLAY 사고력 개념 스토리 도적 잡기

도적을 잡으려면 쌓기나무 붙임딱지를 도적의 보따리에 붙여야 합니다.
도적의 보따리에 있는 그림을 보고 쌓은 모양으로 가능한 쌓기나무 붙임딱지를 붙여 보세요.
(단, 쌓기나무 붙임딱지의 보이지 않는 부분에 쌓기나무는 없습니다.)

1단계 교과 사고력 잡기

1 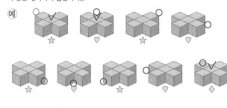 모양에 쌓기나무 1개를 더 붙여서 만들 수 있는 서로 다른 모양은 모두 몇 가지인지 구해 보세요. (단, 돌리거나 뒤집었을 때 같은 모양인 것은 1가지로 생각합니다.)

① 쌓기나무 1개를 더 놓을 수 있는 부분을 모두 찾으려고 합니다. 다음과 같이 주어진 모양에 쌓기나무 1개를 더 놓을 수 있는 부분에 ○표 하세요. (단, 바닥에 닿은 부분은 생각하지 않습니다.)

② 서로 같은 모양인 것 중 1개씩만 ∨표 하세요.

❖ 같은 모양으로 표시된 것끼리 서로 같은 모양입니다.

③ 만들 수 있는 서로 다른 모양은 모두 몇 가지인지 구해 보세요.

(**4가지**)

❖ 서로 같은 모양인 것을 제외하면 모두 4가지입니다.

❖ 보이지 않는 부분을 제외한 나머지 부분에 쌓인 쌓기나무는 2＋1＋3＋2＋1＝9(개)입니다.
따라서 잉크가 묻어 보이지 않는 부분에 알맞은 수는 12－9＝3입니다.

2 쌓기나무 12개로 쌓은 모양을 보고 위에서 본 모양에 수를 쓴 것에 잉크가 묻어 보이지 않는 부분이 생겼습니다. 앞과 옆에서 본 모양을 각각 그려 보세요.

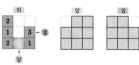

① 잉크가 묻어 보이지 않는 부분에 알맞은 수를 구해 보세요.

(**3**)

② 앞과 옆에서 본 모양을 각각 그려 보세요.

❖ 앞에서 보면 왼쪽에서부터 2층, 3층, 3층으로 보입니다.
옆에서 보면 왼쪽에서부터 3층, 3층, 2층으로 보입니다.

3 쌓기나무 16개로 쌓은 모양을 층별로 나타낸 모양입니다. 3층 모양을 그려 보세요.

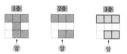

① 3층에 사용된 쌓기나무의 개수를 구해 보세요.

(**5개**)

❖ 1층에 6개, 2층에 5개이므로 3층은 16－6－5＝5(개)입니다.

② 3층 모양을 그려 보세요.

❖ 2층과 3층이 5개이고 3층은 2층 위에 쌓을 수 있으므로 2층 모양과 똑같이 그립니다.

2주 사고력

1단계 교과 사고력 잡기

4 쌓기나무를 붙여서 만든 모양을 구멍이 있는 상자에 넣으려고 합니다. 각 모양을 넣을 수 있는 상자를 모두 찾아 선으로 이어 보세요.

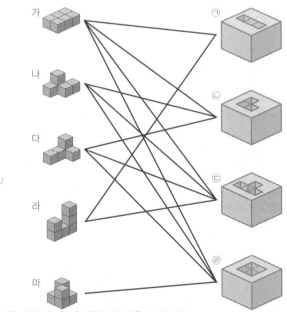

가
나
다
라
마

㉠
㉡
㉢
㉣

❖ 가는 상자 ㉠, ㉡, ㉢, ㉣에 모두 넣을 수 있습니다.
나는 'ㄴ' 모양 또는 'ㄱ' 모양의 구멍이 필요하므로 상자 ㉠에는 넣을 수 없습니다.
다는 'ㄴ' 모양의 구멍이 필요하므로 상자 ㉠에는 넣을 수 없습니다.
라는 쌓기나무 3개가 한 줄로 들어갈 수 있는 구멍이 필요하므로 상자 ㉡, ㉣에는 넣을 수 없습니다.
마는 'ㅁ' 모양의 구멍이 필요하므로 상자 ㉠, ㉡, ㉢에는 넣을 수 없습니다.

❖ 위에서 본 모양은 1층의 모양과 똑같이 그립니다.
앞에서 보면 왼쪽에서부터 3층, 2층, 1층으로 보입니다.
옆에서 보면 왼쪽에서부터 2층, 2층, 3층으로 보입니다.

5 쌓기나무 15개로 쌓은 모양에서 빗금을 친 쌓기나무 3개를 빼낸 모양을 위, 앞, 옆에서 본 모양을 각각 그려 보세요.

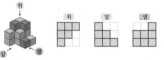

① 빗금을 친 쌓기나무 3개를 빼낸 모양으로 알맞은 것을 찾아 ○표 하세요.

 ( )   ( )   (○)

② 빗금을 친 쌓기나무 3개를 빼낸 모양을 위, 앞, 옆에서 본 모양을 각각 그려 보세요.

6 쌓기블록 15개로 쌓은 모양에서 위, 앞, 옆에서 본 모양이 변하지 않도록 쌓기블록을 빼내려고 합니다. 쌓기블록을 몇 개까지 빼낼 수 있는지 구해 보세요.

❖ 위에서 본 모양은 1층의 모양과 똑같이 그립니다.
앞에서 보면 왼쪽에서부터 3층, 2층, 1층으로 보입니다. 옆에서 보면 왼쪽에서부터 2층, 2층, 3층으로 보입니다.

① 쌓기블록 모양을 위, 앞, 옆에서 본 모양을 각각 그려 보세요.

② 쌓기블록을 몇 개까지 빼낼 수 있는지 구해 보세요.

(**3개**)

 또는   왼쪽과 같이 색칠한 쌓기블록 3개를 빼내어도 위, 앞, 옆에서 본 모양은 변하지 않습니다.

2주 사고력

2단계 교과 사고력 확장

정답과 풀이 p.10

1 쌓기나무 5개를 사용하여 조건 을 모두 만족하도록 쌓으려고 합니다. 모두 몇 가지로 쌓을 수 있는지 구해 보세요. (단, 돌리거나 뒤집었을 때 같은 모양인 것은 1가지로 생각합니다.)

조건
• 쌓기나무로 쌓은 모양은 2층입니다.
• 위에서 본 모양은  입니다.

❶ 1층에 쌓은 쌓기나무의 개수를 구해 보세요.
(**4개**)

❖ 1층의 모양은 위에서 본 모양과 같으므로 4개입니다.

❷ 2층에 쌓은 쌓기나무의 개수를 구해 보세요.
(**1개**)

❖ 1층에 쌓은 쌓기나무가 4개이므로 2층에 쌓은 쌓기나무는 5−4=1(개)입니다.

❸ 조건 을 만족하도록 위에서 본 모양의 각 자리에 수를 써넣으세요.

❹ 모두 몇 가지로 쌓을 수 있는지 구해 보세요.
(**4가지**)

2 쌓기나무로 쌓은 모양을 보고 위에서 본 모양에 수를 썼습니다. 다음과 같은 규칙으로 쌓기나무를 쌓는다면 다섯 번째에 올 모양을 만들 때 필요한 쌓기나무는 몇 개인지 구해 보세요.

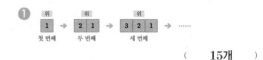

(**15개**)

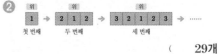 → 5+4+3+2+1=15(개)
네 번째   다섯 번째

❷
첫 번째 두 번째 세 번째

(**29개**)

❖ → 5+4+3+2+1+2+3+4+5=29(개)
네 번째   다섯 번째

❸
첫 번째 두 번째 세 번째

(**25개**)

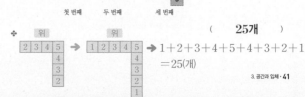 → 1+2+3+4+5+4+3+2+1=25(개)

2단계 교과 사고력 확장

정답과 풀이 p.10

3 쌓기나무로 쌓은 모양을 보고 위에서 본 모양에 수를 썼습니다. 각 모양들은 어느 방향에서 본 것인지 ( ) 안에 알맞은 기호를 써넣으세요.

각 방향에서 가장 앞에 몇 층으로 쌓인 쌓기나무가 보이는지 생각해 보세요.

(라) (가) (다) (나)

❖ ㉮ 가장 앞에 2층과 1층으로 쌓인 쌓기나무의 중간 부분이 보입니다.
㉯ 가장 앞에 1층으로 쌓인 쌓기나무가 보입니다.
㉰ 가장 앞에 2층으로 쌓인 쌓기나무가 보입니다.
㉱ 가장 앞에 3층으로 쌓인 쌓기나무가 보입니다.

4 보기 와 같은 방법으로 위에서 본 모양에 수를 쓴 것을 보고 쌓기나무 모양을 그리려고 합니다. ㉠ 방향에서 본 모양을 그려 보세요.

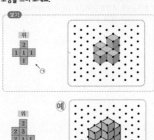

❖ 가장 앞에 1층으로 쌓인 쌓기나무가 보이도록 그립니다.

❖ (한 면만 칠해진 쌓기나무의 개수)
=2+6+2=10(개)

5 쌓기나무로 쌓은 모양의 바깥쪽 면을 페인트로 모두 칠했습니다. 사용한 페인트의 양은 몇 mL인지 구해 보세요. (단, 바닥에 닿은 면도 칠한 것으로 생각합니다.)

쌓기나무를 직육면체 모양으로 쌓았어.

쌓기나무의 한 면을 칠하는 데 페인트 5 mL를 사용했어.

강호   서희

❶ 표를 완성해 보세요.

한 면만 칠해진 쌓기나무의 개수	**10개**
두 면이 칠해진 쌓기나무의 개수	**16개**
세 면이 칠해진 쌓기나무의 개수	**8개**

 (두 면이 칠해진 쌓기나무의 개수) =6+4+6=16(개)

 (세 면이 칠해진 쌓기나무의 개수) =4+4=8(개)

❷ 페인트가 칠해진 면은 모두 몇 개인지 구해 보세요.
(**66개**)

❖ 10+2×16+3×8=10+32+24=66(개)

❸ 사용한 페인트의 양은 몇 mL인지 구해 보세요.
(**330 mL**)

❖ 66×5=330 (mL)

3 단계 교과 사고력 완성

정답과 풀이 p.11

1 위, 앞, 옆에서 본 모양이 다음과 같도록 쌓기나무를 쌓으려고 합니다. 모두 몇 가지로 쌓을 수 있는지 구해 보세요. (단, 돌리거나 뒤집었을 때 같은 모양인 것은 1가지로 생각합니다.)

평가영역 □개념 이해력 ☑개념 응용력 □창의력 □문제 해결력

① 위에서 본 모양의 각 자리 중 쌓기나무의 개수가 1가지로 정해지는 부분에 수를 써넣으세요.

② ①에서 수를 써넣지 않은 각 자리에 쌓을 수 있는 쌓기나무의 개수를 모두 써 보세요.

(**1개, 2개**)

✤ 쌓기나무를 1개 또는 2개 쌓을 수 있습니다.

③ 위, 앞, 옆에서 본 모양이 위와 같도록 위에서 본 모양에 수를 써넣으세요.

예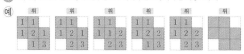

④ 모두 몇 가지로 쌓을 수 있는지 구해 보세요.

(**5가지**)

44 · Run-B 6-2

---

2 다음과 같은 규칙으로 한 모서리의 길이가 3 cm인 정육면체 모양의 쌓기나무를 쌓고 있습니다. 쌓기나무를 5층까지 쌓았을 때 위에서 본 모양의 넓이와 앞에서 본 모양의 넓이를 각각 구해 보세요. (단, 각 층은 쌓기나무를 가장 적게 사용했습니다.)

평가영역 □개념 이해력 □개념 응용력 □창의력 ☑문제 해결력

① 쌓기나무를 5층까지 쌓은 모양을 위에서 본 모양을 그리고, 각 자리에 쌓인 쌓기나무의 개수를 써넣으세요.

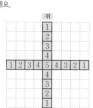

② 쌓기나무 1개의 한 면의 넓이는 몇 cm²인지 구해 보세요.

(**9 cm²**)

✤ 한 모서리의 길이가 3 cm이므로 $3 \times 3 = 9 \, (cm^2)$입니다.

③ 쌓기나무를 5층까지 쌓았을 때 위에서 본 모양의 넓이는 몇 cm²인지 구해 보세요.
✤ 1층에 쌓인 쌓기나무는 17개입니다. (**153 cm²**)
따라서 위에서 본 모양의 넓이는 1층의 넓이와 같으므로 $9 \times 17 = 153 \, (cm^2)$입니다.

④ 쌓기나무를 5층까지 쌓았을 때 앞에서 본 모양의 넓이는 몇 cm²인지 구해 보세요.
✤ 쌓기나무를 5층까지 쌓은 모양을 앞에서 (**225 cm²**) 보면 왼쪽에서부터 1층, 2층, 3층, 4층, 5층, 4층, 3층, 2층, 1층이므로 칸 수를 모두 더하면 25칸입니다.
따라서 앞에서 본 모양의 넓이는 $9 \times 25 = 225 \, (cm^2)$입니다.

2주 사고력

3. 공간과 입체 · 45

Test 종합평가   3. 공간과 입체

맞은 개수

정답과 풀이 p.11

1 쌓기나무로 쌓은 모양을 보고 위에서 본 모양의 각 자리에 수를 써넣으세요.

✤ 위에서 본 모양의 각 자리에 쌓인 쌓기나무의 개수를 세어 위에서 본 모양에 수를 씁니다.

2 주어진 모양과 똑같이 쌓는 데 필요한 쌓기나무의 개수를 구해 보세요.

(**10개**) (**11개**)

✤ (1) 1층에 6개, 2층에 3개, 3층에 1개 ➡ 10개
   (2) 1층에 6개, 2층에 4개, 3층에 1개 ➡ 11개

3 쌓기나무로 쌓은 모양과 1층 모양을 보고 2층과 3층 모양을 각각 그려 보세요.

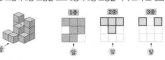

✤ 1층을 기준으로 같은 위치에 쌓인 쌓기나무는 같은 자리에 그려야 합니다.

4 쌓기나무로 쌓은 모양과 위에서 본 모양입니다. 앞과 옆에서 본 모양을 각각 그려 보세요.

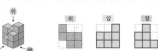

✤ • 앞에서 보면 왼쪽에서부터 2층, 2층, 3층으로 보입니다.
   • 위에서 본 모양을 보면 뒤에 보이지 않는 쌓기나무가 1개 있습니다.
   따라서 옆에서 보면 왼쪽에서부터 2층, 3층, 1층으로 보입니다.

46 · Run-B 6-2

---

5 쌓기나무로 1층 위에 2층과 3층을 쌓으려고 합니다. 1층 모양을 보고 2층과 3층 모양으로 알맞은 것을 보기에서 찾아 기호를 써 보세요.

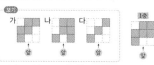

(**가**) (**다**)

✤ 2층 모양으로 가능한 모양은 가와 다입니다. 2층 모양이 다이면 가는 3층 모양이 될 수 없으므로 2층 모양이 가이고 3층 모양이 다입니다.

6 쌓기나무 5개로 만든 모양입니다. 서로 같은 모양끼리 선으로 이어 보세요.

✤ 모양을 돌리거나 뒤집으면서 같은 모양을 찾습니다.

7 쌓기나무를 각각 4개씩 붙여서 만든 보기의 모양을 사용하여 만들 수 없는 것을 찾아 기호를 써 보세요.

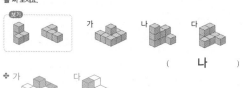

(**나**)

✤ 가

3. 공간과 입체 · 47

정답과 풀이 · 11

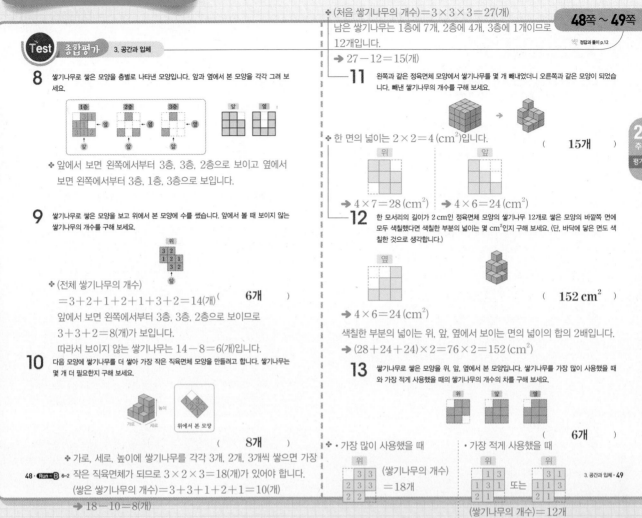

❖ (처음 쌓기나무의 개수)=3×3×3=27(개)
남은 쌓기나무는 1층에 7개, 2층에 4개, 3층에 1개이므로
12개입니다.
→ 27-12=15(개)

Test 종합평가   3. 공간과 입체

8 쌓기나무로 쌓은 모양을 층별로 나타낸 모양입니다. 앞과 옆에서 본 모양을 각각 그려 보세요.

❖ 앞에서 보면 왼쪽에서부터 3층, 3층, 2층으로 보이고 옆에서 보면 왼쪽에서부터 3층, 1층, 3층으로 보입니다.

9 쌓기나무로 쌓은 모양을 보고 위에서 본 모양에 수를 썼습니다. 앞에서 볼 때 보이지 않는 쌓기나무의 개수를 구해 보세요.

(**6개**)

❖ (전체 쌓기나무의 개수)
=3+2+1+2+1+3+2=14(개)
앞에서 보면 왼쪽에서부터 3층, 3층, 2층으로 보이므로
3+3+2=8(개)가 보입니다.
따라서 보이지 않는 쌓기나무는 14-8=6(개)입니다.

10 다음 모양에 쌓기나무를 더 쌓아 가장 작은 직육면체 모양을 만들려고 합니다. 쌓기나무는 몇 개 더 필요한지 구해 보세요.

위에서 본 모양

(**8개**)

❖ 가로, 세로, 높이에 쌓기나무를 각각 3개, 2개, 3개씩 쌓으면 가장 작은 직육면체가 되므로 3×2×3=18(개)가 있어야 합니다.
(쌓은 쌓기나무의 개수)=3+3+1+2+1=10(개)
→ 18-10=8(개)

11 왼쪽과 같은 정육면체 모양에서 쌓기나무를 몇 개 빼내었더니 오른쪽과 같은 모양이 되었습니다. 빼낸 쌓기나무의 개수를 구해 보세요.

(**15개**)

❖ 한 면의 넓이는 2×2=4 (cm²)입니다.

→ 4×7=28 (cm²) → 4×6=24 (cm²)

12 한 모서리의 길이가 2 cm인 정육면체 모양의 쌓기나무 12개로 쌓은 모양의 바깥쪽 면에 모두 색칠했다면 색칠한 부분의 넓이는 몇 cm²인지 구해 보세요. (단, 바닥에 닿은 면도 색칠한 것으로 생각합니다.)

(**152 cm²**)

→ 4×6=24 (cm²)
색칠한 부분의 넓이는 위, 앞, 옆에서 보이는 면의 넓이의 합의 2배입니다.
→ (28+24+24)×2=76×2=152 (cm²)

13 쌓기나무로 쌓은 모양을 위, 앞, 옆에서 본 모양입니다. 쌓기나무를 가장 많이 사용했을 때와 가장 적게 사용했을 때의 쌓기나무의 개수의 차를 구해 보세요.

(**6개**)

❖ • 가장 많이 사용했을 때
(쌓기나무의 개수)=18개

• 가장 적게 사용했을 때
(쌓기나무의 개수)=12개

→ 18-12=6(개)

48 · **Run - B** 6-2   3. 공간과 입체 · 49

2
주
평가

Test 종합평가   3. 공간과 입체   🌼 정답과 풀이 p.12

14 쌓기나무로 쌓은 모양을 보고 위에서 본 모양에 수를 썼습니다. 다음과 같은 규칙으로 쌓기나무를 쌓는다면 다섯 번째에 올 모양을 만들 때 필요한 쌓기나무는 몇 개인지 구해 보세요.

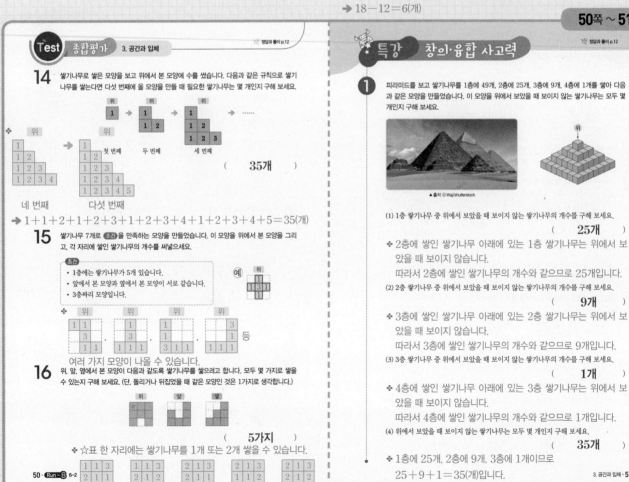

(**35개**)

네 번째   다섯 번째

→ 1+1+2+1+2+3+1+2+3+4+1+2+3+4+5=35(개)

15 쌓기나무 7개로 조건 을 만족하는 모양을 만들었습니다. 이 모양을 위에서 본 모양을 그리고, 각 자리에 쌓인 쌓기나무의 개수를 써넣으세요.

조건
• 1층에는 쌓기나무가 5개 있습니다.
• 앞에서 본 모양과 옆에서 본 모양이 서로 같습니다.
• 3층짜리 모양입니다.

예

❖ 여러 가지 모양이 나올 수 있습니다.

16 위, 앞, 옆에서 본 모양이 다음과 같도록 쌓기나무를 쌓으려고 합니다. 모두 몇 가지로 쌓을 수 있는지 구해 보세요. (단, 돌리거나 뒤집었을 때 같은 모양인 것은 1가지로 생각합니다.)

(**5가지**)

❖ ☆표 한 자리에는 쌓기나무를 1개 또는 2개 쌓을 수 있습니다.

50 · **Run - B** 6-2

특강 창의·융합 사고력   🌼 정답과 풀이 p.12

1 피라미드를 보고 쌓기나무를 1층에 49개, 2층에 25개, 3층에 9개, 4층에 1개를 쌓아 다음과 같은 모양을 만들었습니다. 이 모양을 위에서 보았을 때 보이지 않는 쌓기나무는 모두 몇 개인지 구해 보세요.

▲ 출처 ©Waj/shutterstock

(1) 1층 쌓기나무 중 위에서 보았을 때 보이지 않는 쌓기나무의 개수를 구해 보세요.

(**25개**)

❖ 2층에 쌓인 쌓기나무 아래에 있는 1층 쌓기나무는 위에서 보았을 때 보이지 않습니다.
따라서 2층에 쌓인 쌓기나무의 개수와 같으므로 25개입니다.

(2) 2층 쌓기나무 중 위에서 보았을 때 보이지 않는 쌓기나무의 개수를 구해 보세요.

(**9개**)

❖ 3층에 쌓인 쌓기나무 아래에 있는 2층 쌓기나무는 위에서 보았을 때 보이지 않습니다.
따라서 3층에 쌓인 쌓기나무의 개수와 같으므로 9개입니다.

(3) 3층 쌓기나무 중 위에서 보았을 때 보이지 않는 쌓기나무의 개수를 구해 보세요.

(**1개**)

❖ 4층에 쌓인 쌓기나무 아래에 있는 3층 쌓기나무는 위에서 보았을 때 보이지 않습니다.
따라서 4층에 쌓인 쌓기나무의 개수와 같으므로 1개입니다.

(4) 위에서 보았을 때 보이지 않는 쌓기나무는 모두 몇 개인지 구해 보세요.

(**35개**)

❖ 1층에 25개, 2층에 9개, 3층에 1개이므로
25+9+1=35(개)입니다.

3. 공간과 입체 · 51

2
주
평가

4 비례식과 비례배분

비례식이 사용되는 경우

비율이 같은 두 비를 기호 ' : '를 사용하여 비례식으로 나타낼 수 있습니다. 실생활에서 비례식이 사용되는 경우를 알아볼까요?

🍬 영양 성분표

과자, 시리얼, 우유, 음료수 등을 자세히 살펴보면 아래 사진과 같이 영양 성분표가 있습니다.

영양 성분을 표시할 때 1회 제공량으로 표시합니다. 사진처럼 1회 제공량이 40 g이고 총 무게가 370 g이라면 40 : 370으로 나타낼 수 있고 비율은 $\frac{40}{370}$입니다.

마찬가지로 1회 제공량당 탄수화물의 양은 34 g이고 총 탄수화물의 양을 ☐ g이라고 하면 34 : ☐로 나타낼 수 있고 비율은 $\frac{34}{☐}$입니다.

두 비의 비율은 같으므로 40 : 370 = 34 : ☐와 같이 나타낼 수 있고 이를 이용해 ☐의 값을 구할 수 있습니다.

함량 옆에 있는 %는 1일 영양소 기준치에 대한 비율을 나타냅니다. 하루에 필요한 영양소 권장량에서 1회 제공량만큼 먹었을 때 얻을 수 있는 비율을 표시한 것입니다.
탄수화물 34 g을 먹었을 때 비율은 10 %이고 탄수화물 ☐ g을 먹었을 때 비율이 100 %라면 34 : 10 = ☐ : 100과 같이 나타낼 수 있고 이를 이용해 ☐의 값을 구할 수 있습니다.

☐ 안에 알맞은 수를 써넣으세요.

① 5와 7의 비 → $\boxed{5}$: $\boxed{7}$ 　② 9 대 11 → $\boxed{9}$: $\boxed{11}$

③ 3에 대한 4의 비 → $\boxed{4}$: $\boxed{3}$ 　④ 5의 9에 대한 비 → $\boxed{5}$: $\boxed{9}$

비율을 분수로 나타내어 보세요.

① $2 : 5$ 　② $4 : 3$
$$\left(\quad\frac{2}{5}\quad\right)\qquad\left(\quad\frac{4}{3}\quad\right)$$

사진기와 모니터의 가로와 세로의 비를 구하고 비율을 비교하려고 합니다. 물음에 답하세요.

① 사진기와 모니터의 가로와 세로의 비를 각각 구해 보세요.

사진기 ($15 : 9$)
모니터 ($40 : 24$)

② 사진기와 모니터의 가로와 세로의 비율을 비교해 보세요.

예 사진기의 가로와 세로의 비율은 $\frac{15}{9}\left(=\frac{5}{3}\right)$이고

모니터의 가로와 세로의 비율은 $\frac{40}{24}\left(=\frac{5}{3}\right)$이므로

사진기와 모니터의 가로와 세로의 비율이 같습니다.

---

① 단계 교과서 개념 잡기

개념 ① 비의 성질 알아보기

비 3 : 4에서 기호 ' : ' 앞에 있는 3을 전항,
뒤에 있는 4를 후항이라고 합니다.

$$\underset{전항 \quad 후항}{3 : 4}$$

· 비의 성질
　① 비의 전항과 후항에 0이 아닌 같은 수를 곱하여도 비율은 같습니다.

예
$$3 : 4 \xrightarrow{\times 2} 6 : 8$$
비 3 : 4　비율 $\frac{3}{4}$
비 6 : 8　비율 $\frac{6}{8}=\frac{3}{4}$ 　비율이 같습니다.

　② 비의 전항과 후항을 0이 아닌 같은 수로 나누어도 비율은 같습니다.

예
$$9 : 6 \xrightarrow{\div 3} 3 : 2$$
비 9 : 6　비율 $\frac{9}{6}=\frac{3}{2}$
비 3 : 2　비율 $\frac{3}{2}$ 　비율이 같습니다.

개념 ② 간단한 자연수의 비로 나타내기

· 소수의 비를 간단한 자연수의 비로 나타내기

예
$$0.2 : 0.5 \xrightarrow{\times 10} 2 : 5$$

소수점 아래 자릿수에 따라 비의 전항과 후항에 10, 100, 1000……을 곱합니다.

· 분수의 비를 간단한 자연수의 비로 나타내기

예
$$\frac{1}{3} : \frac{1}{2} \xrightarrow{\times 6} 2 : 3$$

비의 전항과 후항에 두 분모의 공배수를 곱합니다.

· 소수와 분수의 비를 간단한 자연수의 비로 나타내기

예 $0.3 : \frac{1}{2}$

방법1 분수를 소수로 나타내기

후항인 $\frac{1}{2}$을 소수로 나타내면 0.5입니다.
$$0.3 : 0.5 \xrightarrow{\times 10} 3 : 5$$

방법2 소수를 분수로 나타내기

전항인 0.3을 분수로 나타내면 $\frac{3}{10}$입니다.
$$\frac{3}{10} : \frac{1}{2} \xrightarrow{\times 10} 3 : 5$$

개념 확인 문제

정답과 풀이 p.13

1-1 전항에 ○표, 후항에 △표 하세요.
(1) ⑦△ 　(2) ④△

✧ 비에서 기호 ' : ' 앞에 있는 수를 전항, 뒤에 있는 수를 후항이라고 합니다.

1-2 비의 성질을 이용하여 비율이 같은 비를 찾아 선으로 이어 보세요.

9 : 15 ───── 12 : 42
2 : 7 ───── 3 : 5
4 : 1 ───── 16 : 4

✧ · 9 : 15는 전항과 후항을 3으로 나눈 3 : 5와 비율이 같습니다.
　· 2 : 7은 전항과 후항에 6을 곱한 12 : 42와 비율이 같습니다.
　· 4 : 1은 전항과 후항에 4를 곱한 16 : 4와 비율이 같습니다.

2-1 간단한 자연수의 비로 나타내어 보세요.

(1) $0.7 : 0.9$ → (예 $7 : 9$)

(2) $\frac{1}{4} : \frac{1}{3}$ → (예 $3 : 4$)

✧ (1) 0.7 : 0.9의 전항과 후항에 10을 곱하면 7 : 9가 됩니다.
　(2) $\frac{1}{4} : \frac{1}{3}$의 전항과 후항에 분모의 공배수인 12를 곱하면 3 : 4가 됩니다.

2-2 $0.3 : \frac{4}{5}$를 간단한 자연수의 비로 나타내려고 합니다. ☐ 안에 알맞은 수를 써넣으세요.

방법1 $0.3 : \frac{4}{5}$ → $0.3 : \boxed{0.8}$ → 3 : $\boxed{8}$

방법2 $0.3 : \frac{4}{5}$ → $\frac{3}{10} : \frac{4}{5}$ → 3 : $\boxed{8}$

✧ 분수를 소수로 바꾸거나 소수를 분수로 바꾼 후 간단한 자연수의 비로 나타냅니다.

3주 교과서

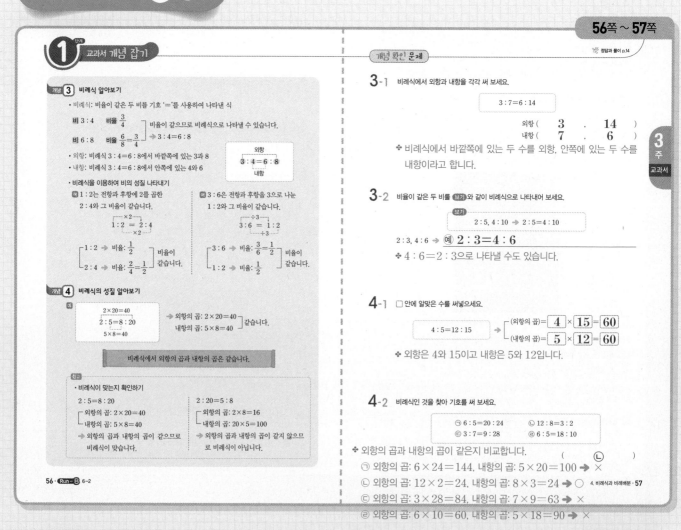

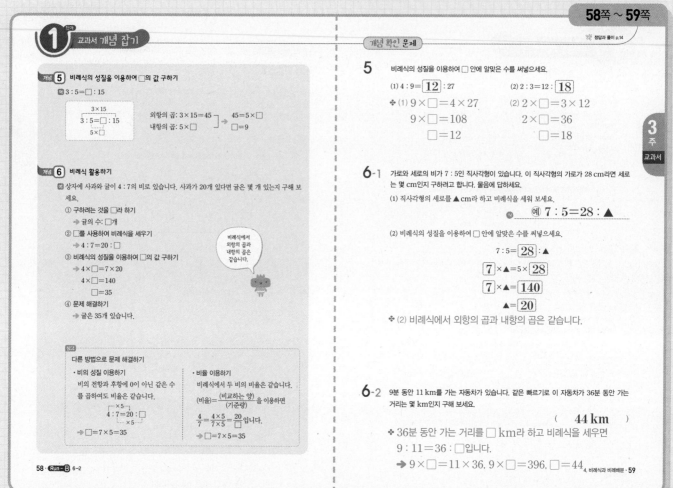

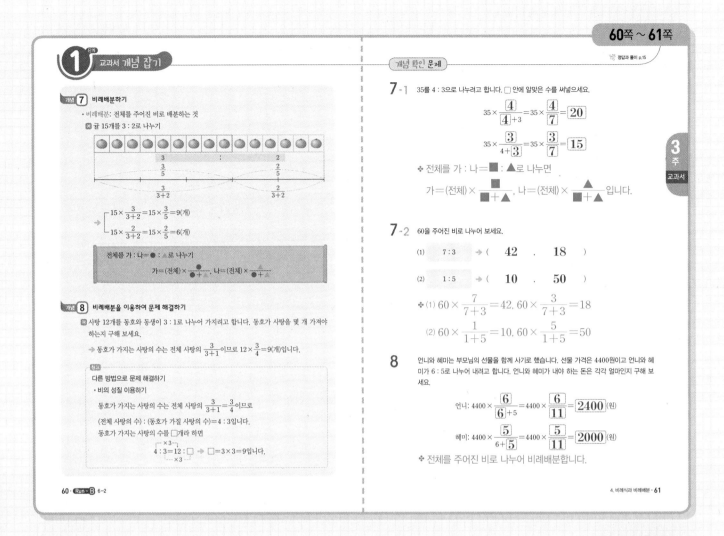

1단계 교과서 개념 잡기

개념 7 비례배분하기

• 비례배분: 전체를 주어진 비로 배분하는 것

예 귤 15개를 3 : 2로 나누기

$$15 \times \frac{3}{3+2} = 15 \times \frac{3}{5} = 9(개)$$
$$15 \times \frac{2}{3+2} = 15 \times \frac{2}{5} = 6(개)$$

전체를 가 : 나=● : ▲로 나누기

가=(전체)× ●/(●+▲), 나=(전체)× ▲/(●+▲)

개념 8 비례배분을 이용하여 문제 해결하기

예 사탕 12개를 동호와 동생이 3 : 1로 나누어 가지려고 합니다. 동호가 사탕을 몇 개 가져야 하는지 구해 보세요.

→ 동호가 가지는 사탕의 수는 전체 사탕의 $\frac{3}{3+1}$이므로 $12 \times \frac{3}{4} = 9$(개)입니다.

참고

다른 방법으로 문제 해결하기
• 비의 성질 이용하기

동호가 가지는 사탕의 수는 전체 사탕의 $\frac{3}{3+1} = \frac{3}{4}$이므로

(전체 사탕의 수) : (동호가 가질 사탕의 수)=4 : 3입니다.
동호가 가지는 사탕의 수를 □개라 하면

$$4 : 3 = 12 : \square \rightarrow \square = 3 \times 3 = 9$$입니다.

개념 확인 문제

정답과 풀이 p.15

7-1 35를 4 : 3으로 나누려고 합니다. □ 안에 알맞은 수를 써넣으세요.

$$35 \times \frac{\boxed{4}}{\boxed{4}+3} = 35 \times \frac{\boxed{4}}{\boxed{7}} = \boxed{20}$$

$$35 \times \frac{\boxed{3}}{4+\boxed{3}} = 35 \times \frac{\boxed{3}}{\boxed{7}} = \boxed{15}$$

❖ 전체를 가 : 나=■ : ▲로 나누면

가=(전체)× ■/(■+▲), 나=(전체)× ▲/(■+▲) 입니다.

7-2 60을 주어진 비로 나누어 보세요.

(1) 7 : 3 → (**42** . **18**)

(2) 1 : 5 → (**10** . **50**)

❖ (1) $60 \times \frac{7}{7+3} = 42$, $60 \times \frac{3}{7+3} = 18$

(2) $60 \times \frac{1}{1+5} = 10$, $60 \times \frac{5}{1+5} = 50$

8 언니와 혜미는 부모님의 선물을 함께 사기로 했습니다. 선물 가격은 4400원이고 언니와 혜미가 6 : 5로 나누어 내려고 합니다. 언니와 혜미가 내야 하는 돈은 각각 얼마인지 구해 보세요.

언니: $4400 \times \frac{\boxed{6}}{\boxed{6}+5} = 4400 \times \frac{\boxed{6}}{\boxed{11}} = \boxed{2400}$(원)

혜미: $4400 \times \frac{\boxed{5}}{6+\boxed{5}} = 4400 \times \frac{\boxed{5}}{\boxed{11}} = \boxed{2000}$(원)

❖ 전체를 주어진 비로 나누어 비례배분합니다.

60 · Run - B 6-2

4. 비례식과 비례배분 · 61

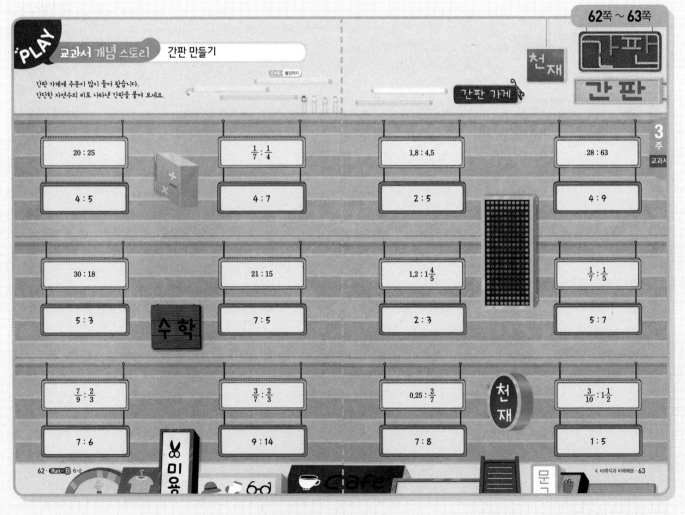

PLAY 교과서 개념 스토리 간판 만들기

간판 가게에 주문이 많이 들어 왔습니다.
간단한 자연수의 비로 나타낸 간판을 붙여 보세요.

| 20 : 25 | $\frac{1}{7} : \frac{1}{4}$ | 1.8 : 4.5 | 28 : 63 |
| 4 : 5 | 4 : 7 | 2 : 5 | 4 : 9 |

| 30 : 18 | 21 : 15 | $1.2 : 1\frac{4}{5}$ | $\frac{1}{7} : \frac{1}{5}$ |
| 5 : 3 | 7 : 5 | 2 : 3 | 5 : 7 |

| $\frac{7}{9} : \frac{2}{3}$ | $\frac{3}{7} : \frac{2}{3}$ | $0.25 : \frac{2}{7}$ | $\frac{3}{10} : 1\frac{1}{2}$ |
| 7 : 6 | 9 : 14 | 7 : 8 | 1 : 5 |

62 · Run - B 6-2

4. 비례식과 비례배분 · 63

PLAY 교과서 개념 스토리 떡 나누어 주기

숲 속에 잔치가 벌어졌습니다.
주어진 떡을 그릇에 써 있는 비에 알맞게 동물들의 접시에 나누어 주세요.

$$112 \times \frac{3}{3+4} = 112 \times \frac{3}{7} = 48 \,(\text{g}),$$
$$112 \times \frac{4}{3+4} = 112 \times \frac{4}{7} = 64 \,(\text{g})$$

3주 교과서

$$128 \times \frac{3}{3+5} = 128 \times \frac{3}{8} = 48 \,(\text{g}) \quad 128 \times \frac{5}{3+5} = 128 \times \frac{5}{8} = 80 \,(\text{g})$$

4. 비례식과 비례배분 · 65

2 단계 교과서 개념 다지기

정답과 풀이 p.16

개념1 비의 성질 알아보기

01 표의 빈칸에 알맞은 수를 써넣으세요.

비	전항	후항
11 : 17	11	17
9 : 5	9	5

❖ 11 : 17   9 : 5
　전항 후항　전항 후항

02 비의 성질을 이용하여 □ 안에 알맞은 수를 써넣으세요.

(1) 2 : 13 → 6 : 39

(2) 70 : 60 → 7 : 6

❖ (1) 비의 전항과 후항에 3을 곱합니다.
　(2) 비의 전항과 후항을 10으로 나눕니다.

03 6 : 15와 비율이 같은 비를 보기 에서 모두 찾아 기호를 써 보세요.

보기
㉠ 2 : 5　　㉡ 15 : 6
㉢ 18 : 60　　㉣ 12 : 30

(㉠, ㉣)

❖ 비 6 : 15에 0이 아닌 같은 수를 곱하거나 6 : 15를 0이 아닌
같은 수로 나누어서 나타낸 비를 찾습니다.

6 : 15 → (6÷3) : (15÷3) → 2 : 5
6 : 15 → (6×2) : (15×2) → 12 : 30

개념2 간단한 자연수의 비로 나타내기

04 $\frac{1}{7} : \frac{8}{21}$ 을 간단한 자연수의 비로 나타내려면 전항과 후항에 각각 얼마를 곱해야 하는지 써 보세요.

(예 21)

❖ 전항과 후항에 두 분모의 공배수인 21을 곱해야 합니다.

05 간단한 자연수의 비로 나타내어 보세요.

(1) 0.3 : 1.4 → (예 3 : 14)

(2) 0.45 : 0.78 → (예 15 : 26)

❖ (1) 전항과 후항에 10을 곱하면 3 : 14가 됩니다.
　(2) 전항과 후항에 100을 곱하면 45 : 78이 되고 전항과 후항을
　　3으로 나누면 15 : 26이 됩니다.

06 직사각형 모양의 공책이 있습니다. 가로와 세로의 비를 간단한 자연수의 비로 나타내어 보세요.

공책
$12\frac{2}{3}$ cm
9.8 cm

❖ 가로와 세로의 비는 $9.8 : 12\frac{2}{3}$ 입니다. (예 147 : 190)

전항을 분수로 나타내면 $9\frac{4}{5}$ 이므로 가분수로 나타내면

$\left(9\frac{4}{5} : 12\frac{2}{3}\right) \rightarrow \left(\frac{49}{5} : \frac{38}{3}\right)$ 입니다.

전항과 후항에 분모의 공배수인 15를 곱하면 147 : 190입니다.

4. 비례식과 비례배분 · 67

②단계 교과서 개념 다지기

정답과 풀이 p.17

개념3 비례식 알아보기

07 다음 비례식에서 전항이면서 외항인 수를 찾아 써 보세요.

$$9 : 22 = 18 : 44$$

(**9**)

❖ 전항은 9, 18이고 외항은 9, 44이므로 전항이면서 외항인 수는
9입니다.

08 비례식인 것을 모두 찾아 기호를 써 보세요.

㉠ 2 : 5 = 6 : 25   ㉡ 17 : 41 = 34 : 82
㉢ 6 : 7 = 24 : 35   ㉣ 54 : 24 = 9 : 4

(**㉡, ㉣**)

❖ 외항의 곱과 내항의 곱이 같은지 비교합니다.
    ㉠ 2×25=50, 5×6=30 ➡ ×
    ㉡ 17×82=1394, 41×34=1394 ➡ ○
    ㉢ 6×35=210, 7×24=168 ➡ ×
    ㉣ 54×4=216, 24×9=216 ➡ ○

09 비율이 같은 두 비를 찾아 비례식으로 나타내어 보세요.

7 : 3   6 : 4   15 : 10

(**6 : 4 = 15 : 10 또는**)
(**15 : 10 = 6 : 4**)

❖ 비율을 비교합니다.

$7 : 3 ➡ \frac{7}{3}$, $6 : 4 ➡ \frac{6}{4} = \frac{3}{2}$, $15 : 10 ➡ \frac{15}{10} = \frac{3}{2}$

비율이 같은 두 비는 6 : 4와 15 : 10이므로 비례식으로
나타내면 6 : 4 = 15 : 10 또는 15 : 10 = 6 : 4입니다.

개념4 비례식의 성질 알아보기

10 비례식의 성질을 이용하여 □ 안에 알맞은 수를 써넣으세요.

(1) 8 : 5 = 72 : 45

(2) 36 : 64 = 9 : 16

❖ (1) 5×□=8×45, 5×□=360, □=72
    (2) 36×□=64×9, 36×□=576, □=16

11 각 비의 비율이 $\frac{3}{5}$이 되도록 ㉠과 ㉡에 알맞은 수를 각각 구해 보세요.

(1) 3 : ㉠ = 24 : ㉡   (2) ㉠ : 10 = 18 : ㉡

   ㉠ (**5**)   ㉠ (**6**)
   ㉡ (**40**)   ㉡ (**30**)

❖ (1) $\frac{3}{㉠} = \frac{3}{5} ➡ ㉠=5$, $3×㉡=5×24$, $3×㉡=120$, $㉡=40$

(2) $\frac{㉠}{10} = \frac{3}{5} = \frac{3×2}{5×2} = \frac{6}{10}$

➡ ㉠=6, 6×㉡=10×18, 6×㉡=180, ㉡=30

12 비례식에서 외항의 곱이 280이라면 ㉠과 ㉡은 각각 얼마인지 구해 보세요.

$$7 : 8 = ㉠ : ㉡$$

㉠ (**35**)
㉡ (**40**)

❖ 외항의 곱은 280이므로 7×㉡=280, ㉡=40입니다.
비례식에서 외항의 곱과 내항의 곱은 같으므로 내항의 곱은
8×㉠=280, ㉠=35입니다.

---

②단계 교과서 개념 다지기

정답과 풀이 p.17

개념5 비례식 활용하기

13 맞물려 돌아가는 두 톱니바퀴가 있습니다. ㉮가 4번 도는 동안에 ㉯는 3번 돕니다. ㉮가 60번 도는 동안에 ㉯는 몇 번 도는지 구해 보세요.

(**45번**)

❖ ㉯의 회전수를 □번이라 하고 비례식을 세우면
4 : 3 = 60 : □입니다.
4×□=3×60, 4×□=180, □=45

14 4개에 2500원 하는 과자가 있습니다. 이 과자를 12개 사려면 얼마가 필요한지 구해 보세요.

(**7500원**)

❖ 과자 12개를 사는 데 필요한 돈을 □원이라 하고 비례식을 세우면 4 : 2500 = 12 : □입니다.
4×□=2500×12, 4×□=30000, □=7500

15 일정한 빠르기로 10분 동안에 13 km를 가는 자동차가 있습니다. 이 자동차가 같은 빠르기로 182 km를 가는 데 몇 시간 몇 분이 걸리는지 구해 보세요.

(**2시간 20분**)

❖ 자동차가 180 km를 가는 데 걸리는 시간을 □분이라 하고
비례식을 세우면 10 : 13 = □ : 182입니다.

13×□=10×182, 13×□=1820, □=140
➡ 140분은 2시간 20분입니다.

개념6 비례배분하기

16 9000원을 민지와 동생에게 5 : 4로 나누어 줄 때 두 사람이 각각 얼마씩 갖게 되는지 구해 보세요.

민지 (**5000원**)
동생 (**4000원**)

❖ 민지: $9000 × \frac{5}{5+4} = 5000$(원)

동생: $9000 × \frac{4}{5+4} = 4000$(원)

17 어느 날 낮과 밤의 길이의 비가 $5\frac{1}{2} : 6\frac{1}{2}$이라면 밤은 몇 시간인지 구해 보세요.

(**13시간**)

❖ $5\frac{1}{2} : 6\frac{1}{2} ➡ \frac{11}{2} : \frac{13}{2} ➡ 11 : 13$

하루는 24시간이므로 밤은

$24 × \frac{13}{11+13} = 24 × \frac{13}{24} = 13$(시간)입니다.

18 두 정사각형 가와 나의 한 변의 길이의 비가 5 : 8이라고 합니다. 가와 나의 둘레의 합이 104 cm일 때 나의 둘레는 몇 cm인지 구해 보세요.

(**64 cm**)

❖ 두 정사각형 가와 나의 한 변의 길이의 비가 5 : 8이므로
두 정사각형 가와 나의 둘레의 비도 5 : 8입니다.

(나의 둘레)$= 104 × \frac{8}{5+8} = 104 × \frac{8}{13} = 64$ (cm)

③ 단계 교과서 실력 다지기

정답과 풀이 p.18

⭐ 넓이의 비를 간단한 자연수의 비로 나타내기

1 두 직사각형의 세로는 같습니다. 직사각형 가와 나의 넓이의 비를 간단한 자연수의 비로 나타내어 보세요.

⑤ 예 **2 : 3**

개념 피드백
① (직사각형의 넓이)=(가로)×(세로)
② 세로가 같으면 가로의 비는 넓이의 비와 같습니다.

❖ 직사각형의 세로가 같으므로 가로의 비가 넓이의 비와 같습니다.
8 : 12 ➡ 2 : 3

1-1 정사각형의 한 변의 길이와 평행사변형의 높이는 같습니다. 정사각형과 평행사변형의 넓이의 비를 간단한 자연수의 비로 나타내어 보세요.

❖ 정사각형의 한 변의 길이와 평행사변형의 밑변의 길이의 비가 넓이의 비와 같습니다. (예 **5 : 6**)
15 : 18 ➡ 5 : 6

1-2 평행사변형과 삼각형의 높이는 같습니다. 평행사변형과 삼각형의 넓이의 비를 간단한 자연수의 비로 나타내어 보세요.

(예 **6 : 5**)

❖ 두 도형의 높이를 □cm라 하면 넓이의 비는
$(6 \times \square) : (10 \times \square \div 2) = (6 \times \square) : (5 \times \square)$ ➡ 6 : 5입니다.

72 · Run- **B** 6-2

⭐ 비례배분의 활용

2 색종이를 강호와 은주가 나누어 가졌습니다. 색종이는 모두 몇 장인지 구해 보세요.

내가 가진 색종이는 35장입니다.

강호

강호와 내가 가진 색종이 수의 비는 5 : 7입니다.

은주

⑤ **84장**

개념 피드백
① 처음 색종이 수를 □장이라 하고 비례배분한 식을 세웁니다.
② ①의 식을 이용하여 답을 구합니다.

❖ 처음에 있던 색종이를 □장이라 하면
$\square \times \frac{5}{5+7} = 35, \square \times \frac{5}{12} = 35, \square = 84$입니다.

2-1 어머니께서 주신 용돈을 민지와 동생이 4 : 3으로 나누어 가졌습니다. 민지가 가진 용돈이 2400원이라면 어머니께서 주신 용돈은 얼마인지 구해 보세요.

(**4200원**)

❖ 어머니가 주신 용돈을 □원이라 하면
$\square \times \frac{4}{4+3} = 2400, \square \times \frac{4}{7} = 2400, \square = 4200$입니다.

2-2 현수와 진수가 나누어 가진 배의 무게의 비가 2 : 3입니다. 진수가 가진 배의 무게가 45 kg이라면 전체 배의 무게는 몇 kg인지 구해 보세요.

(**75 kg**)

❖ 전체 배의 무게를 □kg이라 하면
$\square \times \frac{3}{2+3} = 45, \square \times \frac{3}{5} = 45, \square = 75$입니다.

4. 비례식과 비례배분 · 73

③ 단계 교과서 실력 다지기

정답과 풀이 p.18

⭐ 간단한 자연수의 비로 나타내기

3 ㉮ : ㉯를 간단한 자연수의 비로 나타내어 보세요.

㉮×20=㉯×32

⑤ 예 **8 : 5**

개념 피드백
① 비례식에서 외항의 곱과 내항의 곱은 같습니다.
② ㉮ : ㉯를 비로 놓고 비례식을 세웁니다.
③ 간단한 자연수의 비로 나타냅니다.

❖ ㉮×20은 외항의 곱, ㉯×32를 내항의 곱이라 하면
비례식 ㉮ : ㉯=32 : 20으로 나타낼 수 있습니다.
➡ 32 : 20의 전항과 후항을 4로 나누면 8 : 5가 됩니다.

3-1 ㉮ : ㉯를 간단한 자연수의 비로 나타내어 보세요.

$㉮ \times \frac{2}{5} = ㉯ \times \frac{3}{4}$

❖ ㉮×$\frac{2}{5}$는 외항의 곱, ㉯×$\frac{3}{4}$을 내항의 곱이라 하면 (예 **15 : 8**)
비례식 ㉮ : ㉯=$\frac{3}{4}$: $\frac{2}{5}$로 나타낼 수 있습니다.
➡ $\frac{3}{4}$: $\frac{2}{5}$의 전항과 후항에 분모의 공배수인 20을 곱하면 15 : 8이 됩니다.

3-2 ㉮ : ㉯를 간단한 자연수의 비로 나타내어 보세요.

㉮×0.8=㉯×1.4

(예 **7 : 4**)

❖ ㉮×0.8은 외항의 곱, ㉯×1.4를 내항의 곱이라 하면
비례식 ㉮ : ㉯=1.4 : 0.8로 나타낼 수 있습니다.
➡ 1.4 : 0.8의 전항과 후항에 10을 곱하면 14 : 8이 되고,
전항과 후항을 2로 나누면 7 : 4가 됩니다.

74 · Run- **B** 6-2

⭐ 비례배분하여 길이 구하기

4 210 cm의 끈을 겹치지 않게 모두 사용하여 가로와 세로의 비가 3 : 4인 직사각형을 만들려고 합니다. 가로와 세로는 각각 몇 cm인지 구해 보세요.

⑤ 가로: **45 cm** , 세로: **60 cm**

개념 피드백
① (가로)+(세로)=(직사각형의 둘레)÷2
② 주어진 비로 비례배분합니다.

❖ (가로)+(세로)=210÷2=105 (cm)
$(가로)=105 \times \frac{3}{3+4} = 105 \times \frac{3}{7} = 45 (cm)$
$(세로)=105 \times \frac{4}{3+4} = 105 \times \frac{4}{7} = 60 (cm)$

4-1 직사각형의 가로와 세로의 비가 6 : 5입니다. 이 직사각형의 둘레가 154 cm일 때 가로와 세로는 각각 몇 cm인지 구해 보세요.

가로 (**42 cm**)
세로 (**35 cm**)

❖ (가로)+(세로)=154÷2=77 (cm)
$(가로)=77 \times \frac{6}{6+5} = 77 \times \frac{6}{11} = 42 (cm)$
$(세로)=77 \times \frac{5}{6+5} = 77 \times \frac{5}{11} = 35 (cm)$

4-2 사다리꼴의 윗변의 길이와 아랫변의 길이의 비가 5 : 7입니다. 사다리꼴의 둘레가 42 cm일 때 아랫변의 길이를 구해 보세요.

9 cm   9 cm

❖ (윗변의 길이)+(아랫변의 길이) (**14 cm**)
=(사다리꼴의 둘레)-(나머지 두 변의 길이)
=42-9-9=24 (cm)
$(아랫변의 길이)=24 \times \frac{7}{5+7} = 24 \times \frac{7}{12} = 14 (cm)$

4. 비례식과 비례배분 · 75

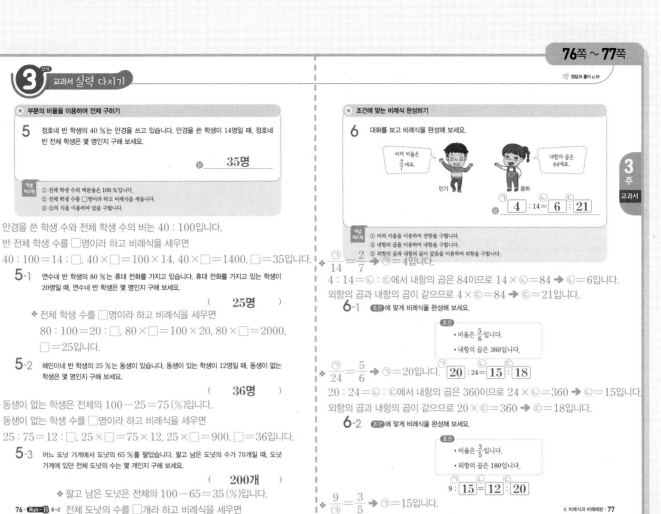

3 단계 교과서 실력 다지기

정답과 풀이 p.19

★ 부분의 비율을 이용하여 전체 구하기

5 정호네 반 학생의 40 %는 안경을 쓰고 있습니다. 안경을 쓴 학생이 14명일 때, 정호네 반 전체 학생은 몇 명인지 구해 보세요.

답 **35명**

개념 리드백
① 전체 학생 수의 백분율은 100 %입니다.
② 전체 학생 수를 □명이라 하고 비례식을 세웁니다.
③ ②의 식을 이용하여 답을 구합니다.

✦ 안경을 쓴 학생 수와 전체 학생 수의 비는 40 : 100입니다.
반 전체 학생 수를 □명이라 하고 비례식을 세우면
$40 : 100 = 14 : □$, $40 × □ = 100 × 14$, $40 × □ = 1400$, $□ = 35$입니다.

5-1 연수네 반 학생의 80 %는 휴대 전화를 가지고 있습니다. 휴대 전화를 가지고 있는 학생이 20명일 때, 연수네 반 학생은 몇 명인지 구해 보세요.

(**25명**)

✦ 전체 학생 수를 □명이라 하고 비례식을 세우면
$80 : 100 = 20 : □$, $80 × □ = 100 × 20$, $80 × □ = 2000$,
$□ = 25$입니다.

5-2 혜민이네 반 학생의 25 %는 동생이 있습니다. 동생이 있는 학생이 12명일 때, 동생이 없는 학생은 몇 명인지 구해 보세요.

(**36명**)

✦ 동생이 없는 학생은 전체의 $100 - 25 = 75$ (%)입니다.
동생이 없는 학생 수를 □명이라 하고 비례식을 세우면
$25 : 75 = 12 : □$, $25 × □ = 75 × 12$, $25 × □ = 900$, $□ = 36$입니다.

5-3 어느 도넛 가게에서 도넛의 65 %를 팔았습니다. 팔고 남은 도넛의 수가 70개일 때, 도넛 가게에 있던 전체 도넛의 수는 몇 개인지 구해 보세요.

(**200개**)

✦ 팔고 남은 도넛은 전체의 $100 - 65 = 35$ (%)입니다.
전체 도넛의 수를 □개라 하고 비례식을 세우면
$35 : 100 = 70 : □$, $35 × □ = 100 × 70$, $35 × □ = 7000$, $□ = 200$입니다.

★ 조건에 맞는 비례식 완성하기

6 대화를 보고 비례식을 완성해 보세요.

비의 비율은 $\frac{2}{7}$에요. (민기)
내항의 곱은 84에요. (윤하)

답 ㉠ $\boxed{4}$: 14 = ㉡ $\boxed{6}$: ㉢ $\boxed{21}$

개념 리드백
① 비의 비율을 이용하여 전항을 구합니다.
② 내항의 곱을 이용하여 내항을 구합니다.
③ 외항의 곱과 내항의 곱이 같음을 이용하여 외항을 구합니다.

✦ $\frac{㉠}{14} = \frac{2}{7}$ ➡ ㉠ = 4입니다.
4 : 14 = ㉡ : ㉢에서 내항의 곱은 84이므로 $14 × ㉡ = 84$ ➡ ㉡ = 6입니다.
외항의 곱과 내항의 곱이 같으므로 $4 × ㉢ = 84$ ➡ ㉢ = 21입니다.

6-1 조건 에 맞게 비례식을 완성해 보세요.

조건
· 비율은 $\frac{5}{6}$입니다.
· 내항의 곱은 360입니다.

✦ $\frac{㉠}{24} = \frac{5}{6}$ ➡ ㉠ = 20입니다. $\boxed{20} : 24 = \boxed{15} : \boxed{18}$
$20 : 24 = ㉡ : ㉢$에서 내항의 곱은 360이므로 $24 × ㉡ = 360$ ➡ ㉡ = 15입니다.
외항의 곱과 내항의 곱이 같으므로 $20 × ㉢ = 360$ ➡ ㉢ = 18입니다.

6-2 조건 에 맞게 비례식을 완성해 보세요.

조건
· 비율은 $\frac{3}{5}$입니다.
· 외항의 곱은 180입니다.

$9 : \boxed{15} = \boxed{12} : \boxed{20}$

✦ $\frac{9}{㉠} = \frac{3}{5}$ ➡ ㉠ = 15입니다.
$9 : 15 = ㉡ : ㉢$에서 외항의 곱은 180이므로 $9 × ㉢ = 180$ ➡ ㉢ = 20입니다.
외항의 곱과 내항의 곱이 같으므로 $15 × ㉡ = 180$ ➡ ㉡ = 12입니다.

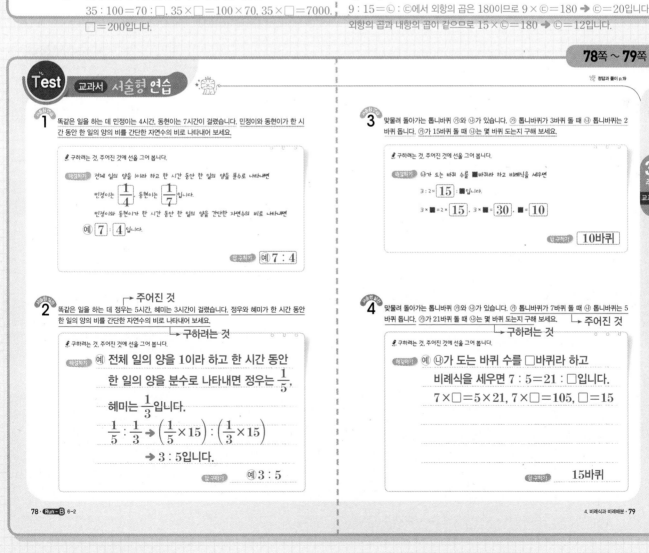

Test 교과서 서술형 연습

정답과 풀이 p.19

1 똑같은 일을 하는 데 민정이는 4시간, 동현이는 7시간이 걸렸습니다. 민정이와 동현이가 한 시간 동안 한 일의 양의 비를 간단한 자연수의 비로 나타내어 보세요.

✐ 구하려는 것, 주어진 것에 선을 그어 봅니다.

해결하기 전체 일의 양을 1이라 하고 한 시간 동안 한 일의 양을 분수로 나타내면

민정이는 $\frac{1}{4}$, 동현이는 $\frac{1}{7}$입니다.

민정이와 동현이가 한 시간 동안 한 일의 양을 간단한 자연수의 비로 나타내면

예 $\boxed{7} : \boxed{4}$입니다.

답 구하기 예 $\boxed{7 : 4}$

2 똑같은 일을 하는 데 정우는 5시간, 혜미는 3시간이 걸렸습니다. → 주어진 것
정우와 혜미가 한 시간 동안 한 일의 양의 비를 간단한 자연수의 비로 나타내어 보세요. → 구하려는 것

✐ 구하려는 것, 주어진 것에 선을 그어 봅니다.

해결하기 예 전체 일의 양을 1이라 하고 한 시간 동안

한 일의 양을 분수로 나타내면 정우는 $\frac{1}{5}$,

혜미는 $\frac{1}{3}$입니다.

$\frac{1}{5} : \frac{1}{3} ➡ (\frac{1}{5} × 15) : (\frac{1}{3} × 15)$

➡ 3 : 5입니다.

답 구하기 예 $3 : 5$

3 맞물려 돌아가는 톱니바퀴 ㉮와 ㉯가 있습니다. ㉮ 톱니바퀴가 3바퀴 돌 때 ㉯ 톱니바퀴는 2 바퀴 돕니다. ㉮가 15바퀴 돌 때 ㉯는 몇 바퀴 도는지 구해 보세요.

✐ 구하려는 것, 주어진 것에 선을 그어 봅니다.

해결하기 ㉯가 도는 바퀴 수를 ■바퀴라 하고 비례식을 세우면

$3 : 2 = \boxed{15} : ■$입니다.

$3 × ■ = 2 × \boxed{15}$, $3 × ■ = \boxed{30}$, $■ = \boxed{10}$

답 구하기 $\boxed{10바퀴}$

4 맞물려 돌아가는 톱니바퀴 ㉮와 ㉯가 있습니다. ㉮ 톱니바퀴가 7바퀴 돌 때 ㉯ 톱니바퀴는 5 바퀴 돕니다. ㉮가 21바퀴 돌 때 ㉯는 몇 바퀴 도는지 구해 보세요. → 주어진 것 → 구하려는 것

✐ 구하려는 것, 주어진 것에 선을 그어 봅니다.

해결하기 예 ㉯가 도는 바퀴 수를 □바퀴라 하고

비례식을 세우면 7 : 5 = 21 : □입니다.

$7 × □ = 5 × 21$, $7 × □ = 105$, $□ = 15$

답 구하기 $15바퀴$

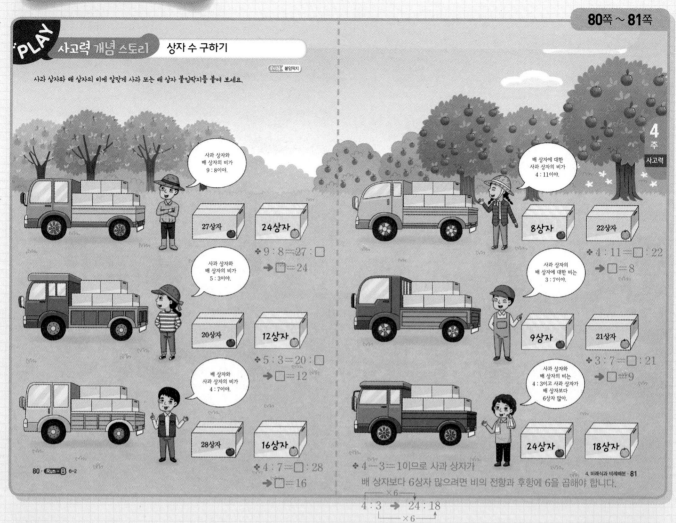

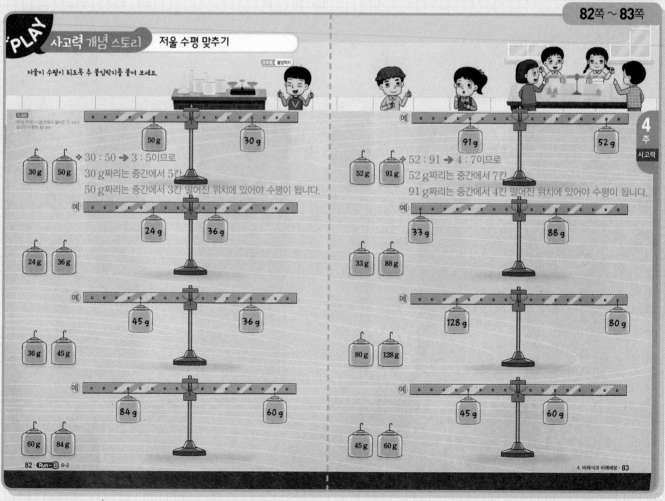

①단계 교과 사고력 잡기

1 화단에 똑같은 꽃이 일정한 간격으로 심어져 있습니다. 화단의 가로가 60 cm라면 세로는 몇 cm인지 구해 보세요. (단, 화단의 가로와 세로의 비율은 꽃의 수의 비율과 같습니다.)

❶ 화단을 보고 가로와 세로의 비를 구해 보세요.

(**12 : 5**)

❖ 꽃이 가로는 12송이, 세로는 5송이이므로 12 : 5입니다.

❷ 화단의 세로를 □ cm라 하고 비례식을 세워 보세요.

예 **12 : 5 = 60 : □**

❸ 화단의 세로는 몇 cm인지 구해 보세요.

(**25 cm**)

❖ 12 : 5 = 60 : □, 12 × □ = 5 × 60, 12 × □ = 300,
□ = 25

---

2 선영이는 정육점에 고기를 사러 갔습니다. 돼지고기 250 g과 소고기 300 g을 사려고 할 때 필요한 돈은 모두 얼마인지 구해 보세요.

❶ 돼지고기 250 g을 사는 데 필요한 돈을 □원이라 하고 비례식을 세워 보세요.

예 **100 : 1800 = 250 : □**

❷ 돼지고기 250 g을 사는 데 필요한 돈을 구해 보세요.

(**4500원**)

❖ 100 × □ = 1800 × 250, 100 × □ = 450000,
□ = 4500

❸ 소고기 300 g을 사는 데 필요한 돈을 □원이라 하고 비례식을 세워 보세요.

예 **100 : 3200 = 300 : □**

❹ 소고기 300 g을 사는 데 필요한 돈을 구해 보세요.

(**9600원**)

❖ 100 × □ = 3200 × 300, 100 × □ = 960000,
□ = 9600

❺ 돼지고기 250 g과 소고기 300 g을 사는 데 필요한 돈은 모두 얼마인지 구해 보세요.

(**14100원**)

❖ 4500 + 9600 = 14100(원)

---

①단계 교과 사고력 잡기

3 지민이는 6월 한 달 동안 일을 하고 150000원을 받았습니다. 일주일 동안 얼마를 받은 셈인지 구해 보세요.

❶ 6월은 며칠까지 있는지 구해 보세요.

(**30일**)

❖ 6월은 30일까지 있습니다.

❷ 일주일은 며칠인지 써 보세요.

(**7일**)

❸ 일주일 동안 받는 돈을 □원이라 하고 비례식을 세워 보세요.

예 **30 : 150000 = 7 : □**

❹ 일주일 동안 얼마를 받은 셈인지 구해 보세요.

(**35000원**)

❖ 30 : 150000 = 7 : □, 30 × □ = 7 × 150000,
30 × □ = 1050000, □ = 35000

---

4 직사각형 모양 밭 중에서 색칠한 부분에 상추를 심었습니다. 상추를 심은 밭의 넓이는 42 m²이고 전체 밭의 35 % 일 때 상추를 심은 밭과 심지 않은 밭의 넓이의 차를 구해 보세요.

❶ 상추를 심지 않은 밭은 전체의 몇 %인지 구해 보세요.

(**65 %**)

❖ 100 - 35 = 65 (%)

❷ 상추를 심지 않은 밭의 넓이를 □ m²라 하고 비례식을 세워 보세요.

예 **65 : 35 = □ : 42**

❸ 상추를 심지 않은 밭의 넓이는 몇 m²인지 구해 보세요.

(**78 m²**)

❖ 35 × □ = 65 × 42, 35 × □ = 2730, □ = 78

❹ 상추를 심은 밭과 심지 않은 밭의 넓이의 차를 구해 보세요.

(**36 m²**)

❖ 78 - 42 = 36 (m²)

② 단계 교과 사고력 확장

1 직선에서 ㉠과 ㉡의 각의 크기의 비를 보고 ㉠과 ㉡의 각도를 각각 구해 보세요.

❶

┌ ㉠ : ㉡＝7 : 5 ┐

㉠ (**105°**)
㉡ (**75°**)

❖ ㉠＝180°× $\frac{7}{7+5}$ ＝180°× $\frac{7}{12}$ ＝105°

㉡＝180°× $\frac{5}{7+5}$ ＝180°× $\frac{5}{12}$ ＝75°

❷

┌ ㉠ : ㉡＝4 : 5 ┐

㉠ (**80°**)
㉡ (**100°**)

❖ ㉠＝180°× $\frac{4}{4+5}$ ＝180°× $\frac{4}{9}$ ＝80°

㉡＝180°× $\frac{5}{4+5}$ ＝180°× $\frac{5}{9}$ ＝100°

❸

┌ ㉠ : ㉡＝8 : 7 ┐

㉠ (**96°**)
㉡ (**84°**)

❖ ㉠＝180°× $\frac{8}{8+7}$ ＝180°× $\frac{8}{15}$ ＝96°

㉡＝180°× $\frac{7}{8+7}$ ＝180°× $\frac{7}{15}$ ＝84°

88 · Run- **B** 6-2

2 알파벳을 숫자로 바꾼 표입니다. 비례식의 □ 안에 알맞은 수를 써넣고 알파벳으로 바꾸어 단어를 완성해 보세요.

A	B	C	D	E	F	G	H	I	J	K	L	M
1	2	3	4	5	6	7	8	9	10	11	12	13
N	O	P	Q	R	S	T	U	V	W	X	Y	Z
14	15	16	17	18	19	20	21	22	23	24	25	26

❶ 5 : 2＝10 : ▣**4** ➡ ▣**D**

3 : 7＝▣**15** : 35 ➡ ▣**O**

▣**7** : 5＝2.8 : 2 ➡ ▣**G**

(**DOG**)

❖ (1) 5×□＝2×10, 5×□＝20, □＝4 ➡ D
(2) 7×□＝3×35, 7×□＝105, □＝15 ➡ O
(3) □×2＝5×2.8, □×2＝14, □＝7 ➡ G

❷ ▣**20** : 12＝6 $\frac{2}{3}$: 4 ➡ ▣**T**

10.5 : ▣**15** ＝1.4 : 2 ➡ ▣**O**

7 $\frac{1}{2}$: 1.5＝▣**25** : 5 ➡ ▣**Y**

(**TOY**)

❖ (1) 6 $\frac{2}{3}$ 를 가분수로 나타내면 $\frac{20}{3}$ 입니다.

□×4＝12× $\frac{20}{3}$, □×4＝80, □＝20 ➡ T

(2) □×1.4＝10.5×2, □×1.4＝21, □＝15 ➡ O

(3) 7 $\frac{1}{2}$ 을 소수로 나타내면 7.5입니다.

1.5×□＝7.5×5, 1.5×□＝37.5, □＝25 ➡ Y

4. 비례식과 비례배분 · 89

② 단계 교과 사고력 확장

3 하루에 4분씩 빨리 가는 시계가 있습니다. 어느 날 오전 9시에 이 시계를 정확히 맞추었다면 다음 날 오후 3시에 이 시계가 가리키는 시각은 오후 몇 시 몇 분인지 구해 보세요.

❶ 하루는 몇 시간인지 써 보세요.

(**24시간**)

❷ 어느 날 오전 9시부터 다음 날 오후 3시까지는 몇 시간인지 구해 보세요.

(**30시간**)

❖ 24시간＋6시간＝30시간

❸ 시계가 빨라진 시간을 □분이라 하고 비례식을 세워 보세요.

예 **24 : 4＝30 : □**

❹ 어느 날 오전 9시부터 다음 날 오후 3시까지는 몇 분 빨라졌는지 구해 보세요.

(**5분**)

❖ 24×□＝4×30, 24×□＝120, □＝5

❺ 다음 날 오후 3시에 이 시계가 가리키는 시각은 오후 몇 시 몇 분인지 구해 보세요.

(**오후 3시 5분**)

❖ 오후 3시＋5분＝오후 3시 5분

90 · Run- **B** 6-2

4 다음을 보고 직사각형의 넓이를 구해 보세요.

┌ 둘레: 112 cm ┐
└ ㉠ : ㉡＝5 : 2 ┘

❶ ㉠＋㉡의 값을 구해 보세요.

(**56**)

❖ ㉠＋㉡＝(직사각형의 둘레)÷2
＝112÷2＝56

❷ ❶에서 구한 값을 5 : 2로 비례배분해 보세요.

(**40** , **16**)

❖ 56× $\frac{5}{5+2}$ ＝56× $\frac{5}{7}$ ＝40,

56× $\frac{2}{5+2}$ ＝56× $\frac{2}{7}$ ＝16

❸ ㉠과 ㉡을 각각 써 보세요.

㉠ (**40**), ㉡ (**16**)

❹ 직사각형의 넓이를 구해 보세요.

(**640 cm²**)

❖ (직사각형의 넓이)＝(가로)×(세로)
＝40×16＝640 (cm²)

4. 비례식과 비례배분 · 91

3 단계 교과 사고력 완성

1 두 직사각형의 넓이의 비가 2 : 3일 때, 나 직사각형의 세로를 구해 보세요.

☑개념 이해력 ☑개념 응용력 □창의력 □문제 해결력

(**24 cm**)

❖ (가 직사각형의 넓이)$=24 \times 18 = 432$ (cm^2)

나 직사각형의 넓이를 $\square$ cm^{2}라 하고 비례식을 세우면

$2 : 3 = 432 : \square$입니다.

$2 \times \square = 3 \times 432, 2 \times \square = 1296, \square = 648$

(나 직사각형의 세로)$=648 \div 27 = 24$ (cm)

2 대화를 보고 나눈 딱지를 모아서 다시 현서와 은주가 7 : 5로 나눌 때 현서가 가지는 딱지의 수를 구해 보세요.

□개념 이해력 □개념 응용력 □창의력 ☑문제 해결력

현서   은주

(**70장**)

❖ 전체 딱지의 수를 $\square$장이라 하면 현서가 64장을 가졌으므로

$\square \times \dfrac{8}{8+7} = \square \times \dfrac{8}{15} = 64, \square = 120$입니다.

다시 나눌 때 현서가 가지는 딱지의 수는

$120 \times \dfrac{7}{7+5} = 120 \times \dfrac{7}{12} = 70$(장)입니다.

92 · Run - B 6-2

---

3 수조에 30 L의 물을 더 부으면 넘치지 않고 가득 차게 됩니다. 수조에 담긴 물의 높이가 15 cm일 때, 수조에 담긴 물의 양을 구해 보세요.

□개념 이해력 ☑개념 응용력 □창의력 □문제 해결력

(**90 L**)

❖ 30 L의 물을 더 부으면 물의 높이가 $20 - 15 = 5$ (cm) 높아집니다.

수조에 담긴 물의 양을 $\square$ L라 하고 비례식을 세우면

$30 : 5 = \square : 15$입니다.

$5 \times \square = 30 \times 15, 5 \times \square = 450, \square = 90$

4 대화를 보고 처음에 준우가 갖고 있던 연필의 수를 구해 보세요.

□개념 이해력 □개념 응용력 □창의력 ☑문제 해결력

서희   준우

(**14자루**)

❖ 준우에게 6자루를 준 후 서희가 가진 연필의 수는

$36 - 6 = 30$(자루)입니다.

서희에게 받은 후 준우가 가진 연필의 수를 $\square$자루라 하고 비례식을 세우면 $3 : 2 = 30 : \square$입니다.

$3 \times \square = 2 \times 30, 3 \times \square = 60, \square = 20$

따라서 처음에 준우가 갖고 있던 연필의 수는 $20 - 6 = 14$(자루)입니다.

4. 비례식과 비례배분 · 93

Test 종합평가   4. 비례식과 비례배분

맞은 개수 ( )

1 $\square$ 안에 알맞은 수를 써넣으세요.

$$4 : 9 \xrightarrow[\times 3]{\times 3} 12 : 27$$

❖ 비 4 : 9의 전항과 후항에 3을 곱하면 12 : 27이 됩니다.

2 비례식에서 외항과 내항을 각각 찾아 써 보세요.

$$5 : 9 = 45 : 81$$

외항 (**5** · **81**)
내항 (**9** · **45**)

❖ 비례식에서 바깥쪽에 있는 두 수를 외항, 안쪽에 있는 두 수를 내항이라고 합니다.

3 두 분모의 최소공배수를 구하고 전항과 후항에 최소공배수를 곱하여 간단한 자연수의 비로 나타내어 보세요.

$$\dfrac{1}{4} : \dfrac{1}{6}$$

최소공배수 (**12**)
간단한 자연수의 비 (**3 : 2**)

❖ 2) 4 6 → 최소공배수:
        2 3 $2 \times 2 \times 3 = 12$

$\left(\dfrac{1}{4} \times 12\right) : \left(\dfrac{1}{6} \times 12\right)$ → 3 : 2

94 · Run - B 6-2

---

4 비율이 같은 비를 찾아 선으로 이어 보세요.

9 : 5		12 : 21
4 : 7		10 : 5
6 : 3		18 : 10

❖ $9 : 5 \to \dfrac{9}{5}$, $12 : 21 \to \dfrac{12}{21} = \dfrac{4}{7}$, $4 : 7 \to \dfrac{4}{7}$,

$10 : 5 \to \dfrac{10}{5} = 2$, $6 : 3 \to \dfrac{6}{3} = 2$, $18 : 10 \to \dfrac{18}{10} = \dfrac{9}{5}$

5 비례식의 성질을 이용하여 $\square$ 안에 알맞은 수를 써넣으세요.

$$3 : 29 = 27 : \boxed{261}$$

❖ $3 \times \square = 29 \times 27, 3 \times \square = 783, \square = 261$

6 수 카드 중에서 4장을 골라 비례식을 만들어 보세요.

예 $2 : 3 = 6 : 9$

❖ 비율이 같은 두 비를 만들고 비례식을 만들어 봅니다.

7 8초에 7장을 복사하는 복사기가 있습니다. 42장을 복사하는 데 걸리는 시간은 몇 초인지 구해 보세요.

(**48초**)

❖ 42장을 복사하는 데 걸리는 시간을 $\square$초라 하고 비례식을 세우면 $8 : 7 = \square : 42$입니다.

$7 \times \square = 8 \times 42, 7 \times \square = 336, \square = 48$

4. 비례식과 비례배분 · 95

Test 종합평가 4. 비례식과 비례배분

정답과 풀이 p.24

8 비례식에서 외항의 곱이 120일 때 ⊙과 ⓒ에 알맞은 수를 각각 구해 보세요.

⊙ (**4**)
ⓒ (**20**)

❖ 외항의 곱이 120이므로 ⊙×30=120 ➡ ⊙=4입니다.
비례식에서 외항과 내항의 곱이 같으므로
6×ⓒ=120 ➡ ⓒ=20입니다.

9 호준이네 학교 6학년 전체 학생은 330명입니다. 남학생 수와 여학생 수의 비는 8 : 7일 때 남학생 수와 여학생 수를 각각 구해 보세요.

남학생 (**176명**)
여학생 (**154명**)

❖ (남학생 수)$=330 \times \dfrac{8}{8+7}=330 \times \dfrac{8}{15}=176$(명)

(여학생 수)$=330 \times \dfrac{7}{8+7}=330 \times \dfrac{7}{15}=154$(명)

10 두 평행사변형의 높이는 같습니다. 두 평행사변형 가와 나의 넓이의 비를 간단한 자연수의 비로 나타내어 보세요.

(예 **3 : 5**)

❖ 두 평행사변형의 높이가 같으므로 밑변의 길이의 비가 넓이의 비와 같습니다.
12 : 20 ➡ 3 : 5

96 · Run-B 6-2

11 소금과 물을 2 : 7로 섞어 소금물을 만들려고 합니다. 소금을 30 g 넣으면 물은 몇 g 넣어야 하는지 구해 보세요.

(**105 g**)

❖ 넣어야 하는 물의 양을 ☐ g이라 하고 비례식을 세우면
2 : 7=30 : ☐입니다.
2×☐=7×30, 2×☐=210, ☐=105

12 사과 5개에 2000원일 때, 사과 8개의 값은 얼마인지 구해 보세요.

(**3200원**)

❖ 사과 8개의 값을 ☐원이라 하고 비례식을 세우면
5 : 2000=8 : ☐입니다.
5×☐=2000×8, 5×☐=16000, ☐=3200

13 두 정사각형 ⊙과 ⓒ의 넓이의 비를 간단한 자연수의 비로 나타내어 보세요.

8 cm   10 cm

(예 **16 : 25**)

❖ (⊙의 넓이)$=8 \times 8=64$ (cm²)
(ⓒ의 넓이)$=10 \times 10=100$ (cm²)
(⊙의 넓이) : (ⓒ의 넓이)=64 : 100 ➡ 16 : 25

14 똑같은 일을 하는 데 세미는 4시간, 동진이는 3시간 걸렸습니다. 세미와 동진이가 한 시간 동안 일한 양의 비를 간단한 자연수의 비로 나타내어 보세요.

(예 **3 : 4**)

❖ 전체 일의 양을 1이라고 할 때 한 시간 동안
동안 일한 양은 세미는 $\dfrac{1}{4}$, 동진이는 $\dfrac{1}{3}$입니다.

$\dfrac{1}{4} : \dfrac{1}{3}$의 전항과 후항에 분모의 공배수인 12를 곱하면 3 : 4입니다.

4. 비례식과 비례배분 · 97

Test 종합평가 4. 비례식과 비례배분

정답과 풀이 p.24

15 다음 삼각형의 밑변의 길이와 높이의 비가 5 : 3입니다. 삼각형의 넓이는 몇 cm²인지 구해 보세요.

20 cm

(**120 cm²**)

❖ 삼각형의 높이를 ☐ cm라 하고
비례식을 세우면 5 : 3=20 : ☐입니다.
5×☐=3×20, 5×☐=60, ☐=12
따라서 삼각형의 넓이는 20×12÷2=120 (cm²)입니다.

16 맞물려 돌아가는 두 톱니바퀴가 있습니다. ㉮의 톱니 수는 32개이고, ㉯의 톱니 수는 20개입니다. ㉯가 16번 돌 때 ㉮는 몇 번 도는지 구해 보세요.

❖ (㉮의 톱니 수)×(㉮의 회전 수)
=(㉯의 톱니 수)×(㉯의 회전 수)이므로

(**10번**)

(㉮의 톱니 수) : (㉯의 톱니 수)=(㉯의 회전 수) : (㉮의 회전 수)입니다.
㉮의 회전수를 ☐번이라 하고 비례식을 세우면 32 : 20=16 : ☐입니다.
32×☐=20×16, 32×☐=320, ☐=10

17 수조에 32 L의 물을 더 부으면 넘치지 않고 가득 차게 됩니다. 수조에 담긴 물의 높이가 15 cm일 때, 수조에 담긴 물의 양을 구해 보세요.

25 cm   15 cm

(**48 L**)

❖ 32 L의 물을 더 부으면 물의 높이가 25-15=10 (cm) 높아집니다.

98 · Run-B 6-2   수조에 담긴 물의 양을 ☐ L라 하고 비례식을 세우면
32 : 10=☐ : 15입니다.
10×☐=32×15, 10×☐=480, ☐=48입니다.

특강 창의·융합 사고력

정답과 풀이 p.24

1 서로 다른 나라의 돈을 바꾸는 것을 환전이라고 하고 우리나라 돈과 다른 나라 돈의 교환 비율을 환율이라고 합니다. 진수는 미국 여행을 가기 위해 공항에 있는 환전소를 들렀고, 마이크는 한국 여행을 위해 환전소에 왔습니다. 물음에 답하세요.

(1) 18000원을 15달러로 바꿀 수 있다면 1달러에 대한 우리나라 돈의 환율은 몇 원인지 구해 보세요.

(**1200원**)

❖ (환율)$=\dfrac{18000}{15}=1200$(원)

(2) 진수가 50달러가 필요하다면 우리나라 돈으로 얼마를 내야 하는지 구해 보세요.

(**60000원**)

❖ 내야 하는 돈을 ☐원이라 하고 비례식을 세우면
1 : 1200=50 : ☐입니다.
☐=1200×50, ☐=60000

(3) 마이크가 달러를 환전하여 96000원을 받았다면 몇 달러를 냈는지 구해 보세요.

(**80달러**)

❖ 낸 돈을 ☐달러라 하고 비례식을 세우면
1 : 1200=☐ : 96000입니다.
1200×☐=96000, ☐=80

4. 비례식과 비례배분 · 99

수학 **6**-2

정답과 풀이

Jump
GO!

유형 사고력

Run
GO!

교과서 사고력

Start
GO!

교과서 개념